L'Odyssée

1 cicone
2 pays des lotophages
3 pays des cyclopes
4 l'île d'Éole
5 lestrygons
6 l'île où habite circé
7 Enfers
8 Circé
9 Sirène 155
10 Scylla p187
11 Caly p80 162

www.casterman.com

ISBN: 978-2-203-03389-4
N° d'édition: L.10EJDN000779.C002

© Casterman, 1980 et 2010 pour la présente édition
Achevé d'imprimer en octobre 2012, en Espagne. Dépôt légal: septembre 2010; D. 2010/0053/470

Conception graphique: Anne-Catherine Boudet

Déposé au ministère de la Justice, Paris
(loi n° 49.956 du 16 juillet 1949 sur les publications destinées à la jeunesse).

Homère

L'Odyssée

Un récit traduit et adapté du grec ancien
par Michel Woronoff

Illustré par Bruno Pilorget

Note au lecteur
Un glossaire, des cartes, une note sur l'auteur de *L'Odyssée* et une petite chronologie se trouvent en fin de volume (page 292 et suivantes).

À la différence de celui de *L'Iliade*, le monde de *L'Odyssée* est un univers de petites gens pour qui le premier souci est de se remplir le ventre. Paysans et marins côtoient les nobles dont le luxe est de manger de la viande tous les jours. Ulysse lui-même est un petit prince, un paysan dont la fierté est de faucher plus longtemps qu'un autre et de tracer plus droit son sillon.

Les palais de Ménélas et d'Alcinoos conservent l'éclat des civilisations crétoise (XXᵉ-XVᵉ siècle av. J.-C.) et mycénienne (XVIᵉ-XIIᵉ siècle av. J.-C.), mais **la demeure d'Ulysse** n'est qu'une grande maison paysanne, avec un beau tas de fumier à côté de la porte. La maison possède une cour de terre battue, entourée d'un mur d'enceinte percé d'un large portail. La pièce principale est le *mégaron*, vaste salle à colonnes où se déroulent banquets et réceptions. Cette grand-salle n'est éclairée que par quelques embrasures et l'ouverture de la porte. Elle est chauffée — et enfumée — par le foyer placé en son milieu. Autour du mégaron sont disposées la salle du trésor royal, la chambre conjugale, la chambre du grand fils et les pièces réservées aux suivantes. L'appartement particulier de Pénélope, lui, se trouve au premier étage.

Éparpillés sur des îles nombreuses et circulant difficilement dans ces contrées montagneuses, les Achéens empruntent **leurs bateaux** pour se rendre d'un point à un autre de la côte ou d'île en île. Longs et effilés, ces bateaux sont pontés et peuvent embarquer jusqu'à cinquante rameurs. On les appelle « bateaux noirs » à cause de leur coque rendue étanche à la poix. Les flancs, ou bordés, sont peints en rouge et la proue est bleu sombre. Elle est recourbée, comme la poupe sur laquelle se trouvent le capitaine et le pilote. Celui-ci manœuvre la rame qui sert de gouvernail. Si elles avancent remarquablement vite, ces embarcations tiennent mal la mer et il faut les tirer sur la plage quand on accoste. Pour repartir, on les pousse vers un trou d'eau, puis l'équipage embarque et rame jusqu'à un endroit où l'on peut hisser la voile et se laisser porter par la brise. Il existe aussi des navires marchands, plus larges et plus stables, qui marchent surtout à la voile mais qui possèdent également un équipage de vingt rameurs.

La circulation entre les îles et les cités exige que les voyageurs ne soient ni molestés ni dépouillés, et qu'on leur porte secours quand ils sont en détresse. Dans ce monde brutal, **l'hospitalité** est la seule garantie qu'un naufragé puisse obtenir. La langue grecque utilise d'ailleurs le même mot pour désigner l'étranger et l'hôte, l'invité. Le voyageur se présente en suppliant devant la personne dont il espère la protection ; il s'agenouille, lui entoure les genoux d'une main et lui saisit le menton de l'autre. Si l'étranger est un riche personnage, les cadeaux sont de rigueur et les liens ainsi établis sont si forts qu'ils durent plusieurs générations. La courtoisie veut qu'on laisse l'hôte se baigner et se restaurer avant de le questionner sur son nom, sa famille et sa cité. Le système de l'hospitalité permet les échanges entre peuples civilisés et c'est pourquoi Zeus la protège tout particulièrement. Ignorant cette loi, les Cyclopes, eux, vivent à l'état sauvage.

Dans le monde de *L'Odyssée*, **les femmes** jouent un rôle déterminant. Ce sont des déesses qui reçoivent Ulysse ; mais c'est aussi Nausicaa qui accueille le naufragé sur l'île, et c'est sa mère, Arété, qui régit tout dans la maison. C'est Pénélope, enfin, qui tient tête aux prétendants depuis trois ans et parvient à retarder le mariage grâce à des ruses multiples. Convoitée pour sa beauté, Pénélope l'est aussi parce qu'elle est reine ; en l'épousant, Antinoos deviendrait roi d'Ithaque…

À côté de ce monde étriqué, **l'univers merveilleux** des récits d'Ulysse fait éclater de vives couleurs. Ses fanfaronnades de vétéran de la guerre de Troie nous font pénétrer dans l'atmosphère héroïque des combats devant la cité de Priam, des raids de pirates sur le delta égyptien. Mais ce sont surtout les contes narrés avec tant de talent par Ulysse chez les Phéaciens qui nous conduisent dans cet autre univers où les déesses tombent amoureuses des héros, où les magiciennes changent les hommes en bêtes, où l'on enferme les vents dans une outre, où les mortels peuvent descendre tout vifs aux Enfers… et en revenir. Le chiffre rituel de neuf jours détermine l'entrée d'Ulysse dans cet univers, et sa sortie. Neuf jours de tempête avant de pénétrer dans cet outre-monde, neuf jours encore avant d'arriver sur l'île des Phéaciens, qui sert de « sas » entre le monde des merveilles et la vie quotidienne à Ithaque.

Contrairement à ce que l'on croyait au début du siècle, la Méditerranée occidentale était connue des navigateurs achéens du XIIe siècle av. J.-C. qui y ont laissé des traces de leur passage. Il est donc vain de chercher dans *L'Odyssée* des instructions nautiques qui indiqueraient à des ignorants les routes maritimes et les escales.

Notre *Odyssée*, censée décrire l'époque du retour de la guerre de Troie, soit vers 1240 av. J.-C., se constitue en fait vers 725 av. J.-C., plus de cinq siècles après la prise de Troie. Elle présente un monde composite où voisinent les mœurs du temps d'Homère, les vestiges des splendeurs du XIIIe siècle et des contes de marins plus anciens encore. Plutôt que d'y chercher les reflets d'un monde disparu, il vaut mieux se laisser prendre aux mirages de l'imagination du poète.

PREMIÈRE PARTIE

LE VOYAGE D'ULYSSE

Conversation sur l'Olympe

Chante, ô Muse, le héros aux cent détours qui a tant erré sur terre après avoir pillé la ville sainte de Troie, qui a vu tant de villes et connu tant de peuples, qui sur mer a tant souffert en son cœur, luttant pour sa vie et le retour de ses équipages. Déesse, fille de Zeus, débute où tu veux et raconte-nous l'histoire, à nous aussi. *Invocation à la Muse.*

Tous les autres, tous ceux qui avaient échappé au gouffre de la mort, étaient revenus chez eux, rescapés de la guerre et de la mer. Lui seul demeurait à regretter sa femme et sa maison ; c'était la Nymphe puissante, Calypso, qui le retenait dans les profondeurs de sa caverne, pour l'avoir pour elle, comme époux.

Mais quand le cycle fut accompli et que vint l'année où les dieux avaient tissé pour lui le retour à Ithaque, même là, il n'allait pas échapper aux épreuves. Tous les dieux en avaient pitié, sauf Poséidon. La haine du dieu était sans fin envers Ulysse, jusqu'à son retour en Ithaque.

Mais voici que Poséidon s'en alla chez les Éthiopiens, les Éthiopiens du bout du monde, ceux du soleil levant, pour y recevoir une hécatombe de taureaux et de béliers. Assis au banquet, il avait le cœur en joie.

Les autres dieux étaient rassemblés dans le palais de Zeus l'Olympien et le père des dieux et des hommes se mit à leur parler, car il se souvenait d'Égisthe, tué par le noble Oreste, fils de l'Atride Agamemnon :

— Hélas, comme les mortels critiquent les dieux ! Ils disent que leurs malheurs viennent de nous, alors qu'ils y ajoutent encore des souffrances à cause de leur folie. Voyez comme cet Égisthe, bravant le destin, a épousé la femme de l'Atride, puis a égorgé celui-ci à son retour. Il voyait pourtant le gouffre de la mort, nous l'avions prévenu. Nous lui avions envoyé Hermès le Bon Guetteur pour le mettre en garde : Oreste serait le vengeur de son père, une fois devenu grand et désireux de revenir chez lui. Mais Égisthe ne fut pas convaincu. Maintenant il vient de payer tout en bloc !

La déesse aux yeux d'aigue-marine, Athéna, lui répondit :

— Cronide, notre Père à tous, Tout-Puissant ! Lui, il

a bien mérité sa mort. Que tous ceux qui l'imiteront meurent de même ! Mais mon cœur est déchiré pour Ulysse à l'esprit étincelant, ce malheureux qui souffre loin de sa famille depuis si longtemps dans une île baignée par les vagues, isolée dans la mer, couverte d'arbres. C'est la demeure d'une déesse, fille d'Atlas qui connaît les abîmes de la mer et les hautes colonnes qui séparent la terre du ciel. Elle ensorcelle Ulysse par de tendres propos, pour qu'il oublie Ithaque. Mais lui n'a qu'un seul désir : voir surgir un jour les fumées de son île. Ton cœur, Olympien, sera-t-il inflexible ? Pourtant Ulysse t'a sacrifié bien des victimes, près des bateaux des Achéens, dans la vaste Troade. N'auras-tu pas pitié, Zeus ?

Zeus le Berger de nuages lui répondit :

— Mon enfant, quelle parole dis-tu là ? Comment pourrais-je oublier le divin Ulysse dont l'intelligence surpasse celle de tous les mortels, qui a offert tant de sacrifices aux Immortels, Maîtres du ciel ? Mais c'est Poséidon, Ébranleur du sol, qui est toujours en colère, à cause de Polyphème le Cyclope dont Ulysse a crevé l'œil. C'est lui qui l'écarte de sa patrie. Allons, tous, réfléchissons au moyen de lui permettre de rentrer chez lui. Poséidon calmera sa colère ; il ne pourra, tout seul, se quereller avec tous les Immortels !

— Cronide, notre Père à tous, répondit Athéna, Tout-Puissant, si les Bienheureux décident de ramener chez lui le très sage Ulysse, envoyons Hermès, Messager de lumière, à l'île de Calypso, la Nymphe aux belles boucles, lui dire la volonté des dieux : le retour d'Ulysse au cœur patient dans sa patrie. Moi je vais aller à Ithaque, pour pousser son fils à convoquer les Achéens à la belle chevelure en assemblée et à parler clair aux prétendants qui égorgent sans trêve ses grasses brebis et ses bœufs cornus. Je l'enverrai à Sparte et dans l'aimable Pylos pour interroger les héros sur le retour de son père. Je veux qu'il acquière, lui aussi, un beau renom parmi les humains.

Sur ces mots, la déesse attacha à ses pieds ses belles sandales et bondit du haut des cimes de l'Olympe. Elle avait en main sa bonne lance, avec laquelle elle écrase les héros, par rangs entiers, quand elle se fâche.

Elle arriva au pays d'Ithaque, devant le portail de la cour d'Ulysse, la lance au poing. Elle avait pris l'apparence d'un étranger, un notable de Taphos, nommé Mentès. Elle trouva les prétendants en train de jouer avec des pions, devant la porte, assis sur la peau des bœufs qu'ils avaient sacrifiés eux-mêmes. Leurs hérauts et leurs serviteurs agiles mêlaient le vin et l'eau dans les cratères, d'autres nettoyaient les tables avec les éponges poreuses puis les chargeaient de viandes. Télémaque à l'allure divine l'aperçut le premier. Il était assis parmi les prétendants, le cœur accablé, pensant à son père, souhaitant son retour en maître dans sa maison. Comme il rêvait il aperçut Athéna, et bondit vers le porche, fâché de voir un hôte longtemps debout à la porte. Il s'approcha, lui prit la main droite, la soulagea de sa lance à pointe de bronze et lui adressa ces paroles, flèches ailées :

— Salut, étranger ! Bienvenue chez nous. Quand tu auras eu ton content du repas, tu nous diras ce qui t'amène.

Ce disant il guidait Athéna et elle le suivit. Une fois parvenus à l'intérieur de la haute maison, Télémaque alla ranger la lance dans le râtelier bien poli, contre la haute colonne où étaient placées toutes les lances d'Ulysse au cœur patient. Puis il conduisit Athéna à un fauteuil ornementé et étendit dessus un joli tissu. Il prit pour lui un siège à incrustations, à l'écart des prétendants pour éviter à l'étranger d'être gêné par le tumulte du repas, au milieu de gens bruyants. Une servante apporta une aiguière d'or, parfaite, et leur lava les mains au-dessus d'un bassin d'argent. On disposa devant eux une table bien raclée. Puis l'honnête intendante leur apporta le pain, le serviteur souleva les plateaux chargés de viandes de toutes sortes et leur donna leur part. On plaça à côté d'eux des coupes en or, le héraut leur versa à boire.

Les nobles prétendants firent leur entrée et s'assirent à la file sur des sièges et des fauteuils. Les hérauts leur versèrent de l'eau sur les mains. Les servantes entassaient le pain dans les corbeilles. Les jeunes gens emplissaient les cratères à ras bord et les prétendants se jetaient sur les plats qu'on leur présentait.

Quand les prétendants eurent leur content de boisson et de nourriture, ils eurent envie de chant et de danse, plaisir des festins. Le héraut plaça la cithare parfaite entre les mains de Phémios, l'aède qui chantait pour les prétendants, par contrainte. Phémios, tout en jouant, commençait à chanter harmonieusement. Télémaque alors se pencha vers Athéna, la déesse aux yeux d'aigue-marine, pour n'être pas entendu des autres :

— Mon hôte, ne t'irrite pas de ce que je vais dire : ces gens n'ont qu'un souci, la cithare et le chant. Tout leur est facile puisqu'ils mangent sans rien payer les vivres d'un autre, un héros dont les os blanchis pourrissent sous la pluie sur terre, ou sont roulés par les vagues de la mer. S'ils le voyaient revenir à Ithaque, ils préféreraient avoir le pied rapide plutôt que de l'or ou de riches vêtements ! Mais en réalité il est mort misérablement, plus d'espoir pour nous, même si l'on venait nous dire qu'il va revenir. Mais dis-moi et parle-moi franchement : qui es-tu, d'où viens-tu ? Où sont ta cité, tes parents ? Viens-tu d'arriver, es-tu pour nous un hôte ancestral ? Bien des gens sont venus chez nous, car lui aussi avait visité bien des gens !

Athéna lui répondit :

— Je vais te parler bien franchement : je suis fier d'être Mentès, prince des Taphiens aux longues rames. Je viens d'arriver avec mon bateau et mon équipage. Je vais sur la mer couleur de vin chez les étrangers pour chercher du bronze, en échange de fer brillant. Nous sommes hôtes ancestraux, depuis toujours ; interroge l'ancien, le héros Laerte. Il ne vient plus en ville, m'a-t-on dit ; il reste à la campagne avec une vieille servante qui s'occupe de son ménage. Moi je suis venu parce qu'on m'a dit que ton père était rentré au pays. Mais les dieux le lui interdisent. Car il n'est pas mort, le divin Ulysse, il est encore vivant mais retenu sur la vaste mer qui entoure son île. Je m'en vais te le prédire, comme les dieux me l'inspirent et comme cela va s'accomplir. Ulysse ne restera pas plus longtemps loin de sa patrie, même si des chaînes de fer l'entravent. Il réfléchit aux moyens de revenir, tant il est inventif.

Mais dis-moi, réponds-moi bien franchement, es-tu vraiment le grand fils d'Ulysse ? Tu lui ressembles extraordinairement, par la tête, les yeux. Nous nous sommes rencontrés si souvent avant son départ pour la Troade. Mais depuis nous ne nous sommes plus revus.

Télémaque, en garçon avisé, lui dit en face :

— Ma mère dit que je suis le fils d'Ulysse ; moi je ne sais pas. On ne peut soi-même reconnaître son père. J'aurais dû naître fils heureux d'un père riche vieillissant sur ses biens. En fait le plus malheureux des hommes, voilà mon père.

Athéna lui demanda :

— Dis-moi, quel est ce festin, quelle est cette troupe d'invités ? Banquet de fête, mariage ? Pas de participation aux frais, en tout cas ! Ces brutes me paraissent dépasser toute mesure en banquetant dans ta maison. Tout homme de bon sens s'indignerait devant cette honte.

— Mon hôte, répondit Télémaque, puisque tu me le demandes, cette maison a dû être autrefois riche et confortable, tant que le héros était au pays. Mais les dieux avaient contre nous de mauvais desseins et ils l'ont fait disparaître d'entre les hommes. Je n'aurais pas autant de peine s'il avait été abattu parmi ses compagnons au pays des Troyens, ou une fois terminé l'écheveau de la guerre, dans les bras de sa famille. Les Panachéens lui auraient construit un tombeau ; ainsi il aurait légué à son fils une gloire éternelle. Mais il a disparu sans laisser de traces, ni de nouvelles, il ne m'a légué que des pleurs et des sanglots. Et les dieux m'ont préparé d'autres souffrances encore. Tous les nobles des îles, de Doulichion, de Samé, de Zacynthe forestière, tous les notables d'Ithaque la rocheuse, tous ceux-là courtisent ma mère, épuisent mon patrimoine. Elle ne repousse pas le mariage, pourtant odieux, et ne peut mettre un terme à l'affaire. Eux dévorent ma maison ; bientôt c'est moi qu'ils déchireront aussi.

Athéna s'indigna :

— Hélas, quel malheur que cette absence d'Ulysse ! Il lancerait son bras contre ces prétendants sans honneur. S'il se présentait au porche, debout, casque en tête, avec son bouclier et ses deux lances, tel que je l'ai vu pour la première fois dans notre maison, buvant, la joie au cœur ! Alors les prétendants auraient destin rapide et noces amères. Mais tout cela repose sur les genoux des dieux. Reviendra-t-il pour se venger ou non ? Je te conseille de réfléchir aux moyens de chasser les prétendants de ta maison. Dès demain, convoque les Achéens sur l'agora et parle-leur. Impose aux prétendants de se disperser chacun sur son domaine. Ta mère, si son cœur la pousse à se marier, qu'elle retourne dans la grande maison de son père. Toi, équipe un navire à vingt rameurs, le meilleur, et va t'informer sur ton père. Va d'abord à Pylos et interroge le divin Nestor, puis à Sparte chez le blond Ménélas, le dernier à être revenu parmi les Achéens à la tunique de bronze. Mais je vais maintenant rejoindre mon bateau rapide et mon équipage. Toi, réfléchis à ce que j'ai dit.

— Reste, dit Télémaque, même si tu es pressé. Tu auras bain, plaisir du cœur et cadeau.

— Non, répondit Athéna, ne me retiens pas. Le cadeau que tu veux me donner, je reviendrai le prendre un jour pour l'emporter chez moi.

Sur ces mots, Athéna la déesse aux yeux d'aigue-marine s'éloigna comme s'envole un oiseau. Elle avait donné au cœur de Télémaque encore plus d'élan, de courage, au souvenir de son père. Il comprit en son cœur et frémit en lui-même : c'était là un dieu.

L'aède illustre était en train de chanter, tous l'écoutaient en silence ; il chantait le triste retour des Achéens, imposé par Pallas Athéna. Mais depuis l'étage, la fille d'Icare, la très sage Pénélope, avait entendu le chant merveilleux. Elle descendit le haut escalier de sa demeure, entourée de ses suivantes. En pleurant, elle s'adressa à l'aède divin :

— Phémios, tu connais bien d'autres chants, sortilèges pour les mortels, exploits des héros et des dieux, que célèbrent les aèdes. Chantes-en un et que l'on boive son vin en silence ! Mais cesse ce chant lugubre qui me ronge le cœur d'une douleur éternelle. Quel héros je pleure, quel souvenir il a laissé, quelle gloire il connaissait dans la Grèce et au milieu d'Argos !

Télémaque, en garçon avisé, lui dit en face :

— Mère, pourquoi cette colère contre l'aède très fidèle, pourquoi l'empêcher de nous ravir au gré de son inspiration ? Ce ne sont pas les aèdes qui sont coupables, c'est Zeus le responsable, c'est lui qui accorde son lot à chacun. Ne t'en prends pas à Phémios de chanter le triste destin des Achéens, les gens apprécient toujours les chants les plus récents. Ulysse n'est pas le seul à avoir perdu la vie en Troade, bien d'autres sont morts.

Pénélope fut frappée de stupeur et remonta dans sa chambre. Elle pleurait encore son époux quand Athéna, la déesse aux yeux d'aigue-marine, lui versa sur les paupières un doux sommeil.

Les prétendants se mirent à crier dans la salle

pleine d'ombre ; ils souhaitaient tous être couchés au lit avec elle. Télémaque les interpella :

— Prétendants de ma mère, aux prétentions sans limite, pour l'instant goûtons au plaisir du festin, pas de cris, il vaut mieux écouter l'aède à la voix divine. Mais dès l'aurore, allons à l'agora, pour que je vous parle franchement : quittez ma maison, trouvez-vous d'autres repas, mangez vos propres biens ! Sinon j'appellerai au secours les dieux éternels, je demanderai que Zeus vous fasse expier vos crimes !

Tous, les dents serrées sur les lèvres, s'étonnaient de l'audace de Télémaque. Antinoos, le fils d'Eupeithès, répondit :

— Télémaque, ce sont les dieux eux-mêmes qui t'enseignent l'éloquence et l'audace. Mais ne t'imagine pas que le fils de Cronos te permettra d'être roi en Ithaque encerclée par la mer, comme tes ancêtres.

— Antinoos, repartit Télémaque, si Zeus me l'accordait, je l'accepterais ; mais il y a bien d'autres nobles en Ithaque, jeunes et anciens ; au moins, je serai maître de ma maison et de mes serviteurs !

Les prétendants se livraient aux joies de la danse et au plaisir du chant ; ils attendirent la venue du soir puis rentrèrent chacun chez soi. Quant à Télémaque, il alla se coucher dans sa chambre ; devant lui marchait la fidèle Euryclée. Laerte l'avait autrefois payée vingt bœufs, quand elle était encore très jeune ; il avait eu pour elle des égards comme pour son épouse, mais il n'était pas venu coucher auprès d'elle, car il craignait la colère de sa femme. Elle portait devant Télémaque la torche allumée. Elle l'aimait tendrement et l'avait élevé. Il ouvrit la porte aux solides panneaux, s'assit sur son lit et retira sa fine tunique. Il la remit à la vieille femme qui la plia avec soin, puis la suspendit à une cheville, près du lit orné de marqueterie. Puis elle se retira, ferma la porte et lui dormit toute la nuit, enveloppé de peaux de moutons et songeant en son cœur au voyage conseillé par Athéna.

Aidé par Athéna, Télémaque prépare son voyage

Fraîche éclose, l'Aurore aux doigts de rose apparut et le fils d'Ulysse se leva de son lit, mit ses vêtements et plaça son épée dans son baudrier d'épaule. Il sortit de la chambre et ordonna aux hérauts à la voix harmonieuse de convoquer à l'agora les Achéens à la belle chevelure. Une fois qu'ils furent tous réunis, Télémaque apparut, la lance au poing, accompagné de deux chiens. Le peuple entier le suivait des yeux, tandis qu'il s'asseyait à la place de son père. Les anciens lui firent place. Le noble Égyptios le premier se leva et prit la parole :

— Écoutez-moi maintenant, gens d'Ithaque ; il n'y a pas eu d'assemblée chez nous ni de séance de conseil depuis que le divin Ulysse est parti sur ses bateaux creux. Alors, qui nous a convoqués ? A-t-on reçu des nouvelles de l'expédition ? Ou bien s'agit-il de quelque autre affaire publique ?

Télémaque ne resta pas plus longtemps assis, il se leva au milieu de l'assemblée. Le héraut lui mit le sceptre en main et il répondit à Égyptios :

— L'ancien, il n'est pas loin, celui que tu cherches ; c'est moi qui ai convoqué le peuple. Je n'ai pas de nouvelle du retour de l'armée, ni d'affaire publique à exposer. Mais c'est la nécessité qui me contraint : un double malheur m'accable. J'ai perdu mon noble père, votre roi, mon père si bienveillant, mais de plus voici qui va ruiner complètement ma maison : les fils des héros les plus nobles qui sont ici, les prétendants, harcèlent ma mère et elle, elle ne veut rien entendre. Ils passent leur temps chez nous, à sacrifier des bœufs, des moutons et des chèvres grasses. Ils font de riches banquets, boivent à tout va mon vin couleur de feu. Personne comme Ulysse pour défendre notre maison. Moi je me battrais bien, si j'en avais la force. Craignez, vous, la colère des dieux. À moins que mon père, le noble Ulysse, n'ait eu des torts envers les Achéens aux bonnes jambières et que ce soit la raison de votre antipathie. Maintenant, en tout cas, vous me déchirez le cœur.

C'est ainsi qu'il parlait, en colère. Il jeta le sceptre à terre et laissa échapper ses larmes. Tout le peuple fut saisi de pitié et personne ne parlait. Seul Antinoos osa répondre :

— Télémaque, que de grands mots ! Pourquoi nous insulter ? Voilà maintenant deux ans, bientôt trois, que ta mère trompe le cœur des Achéens, promet à chacun, donne de l'espoir à tous, nous couvrant de messages. Voici la ruse qu'elle médita dans son cœur. Elle avait dressé un grand métier pour y tisser fin une toile immense et nous affirmait que c'était pour le linceul de son beau-père Laerte. Mais la nuit elle détissait la toile. Elle nous trompa pendant trois ans, la quatrième année elle fut dénoncée par une servante. Toi, écoute la réponse des prétendants : renvoie ta mère, pousse-la à épouser celui que son père voudra et qui lui plaira. Mais si elle tourmente encore les fils des Achéens et compte sur son astuce, supérieure à celle de toutes les Achéennes, eh bien, aussi longtemps qu'elle gardera ces sentiments, nous mangerons tes vivres et tes biens ! Nous ne rentrerons pas dans nos domaines avant qu'elle ait fait son choix parmi les Achéens.

Télémaque, en garçon avisé, lui dit en face :

— Antinoos, il ne m'est pas possible, si elle ne veut pas partir, de chasser ma mère de la maison : elle m'a mis au monde, elle m'a élevé. Mais vous, si vous craignez les dieux, sortez, trouvez-vous d'autres repas, mangez vos propres biens !

Télémaque parla ainsi. Zeus alors lui envoya deux aigles qui plongèrent du haut des montagnes. Ils planaient sur les souffles du vent, côte à côte, déployant leurs ailes ; quand ils survolèrent l'assemblée bruyante, ils se mirent à tourbillonner à coups d'ailes rapides, puis ils s'éloignèrent vers la droite à travers les maisons et la cité. Tous regardèrent les oiseaux avec crainte, se demandant dans leur cœur ce qui allait arriver. Alors le vieux héros Halithersès, fils de Mastor, intervint. C'était le meilleur de sa génération pour interpréter le vol des oiseaux :

— Écoutez-moi, gens d'Ithaque ; c'est surtout pour les prétendants que je vais parler. Car c'est sur eux que déferle le malheur. Ulysse ne restera plus très longtemps loin des siens, il est tout près, préparant la mort et le meurtre pour ses ennemis. Le malheur va s'abattre aussi sur beaucoup d'autres, parmi nous qui habitons Ithaque l'ensoleillée. Bien avant cela, réfléchissons, arrêtons tout cela, dès maintenant, c'est le mieux. Je ne prédis pas à la légère, j'ai de l'expérience. J'affirme que tout va s'accomplir, toutes les prédictions que j'ai faites à Ulysse, quand les Achéens s'embarquaient pour Ilios. Je lui avais dit qu'il aurait bien des malheurs, qu'il perdrait ses équipages et qu'il reviendrait chez lui la vingtième année : tout se réalise.

Eurymaque, l'un des chefs des prétendants, prit la parole :

— Vieillard, va donc prédire à tes enfants, rentre chez toi, gare à ta famille ! Moi je vais prédire bien mieux que toi. Il y a bien des oiseaux qui volent dans les rayons du soleil, ils ne portent pas tous des messages ! Ulysse est mort et tu aurais dû mourir avec lui, tu ne ferais pas tant le devin, tu n'exciterais pas Télémaque ! Si tu continues, nous t'infligerons une amende, bien pénible à payer. Moi, je vais donner un bon conseil à Télémaque, devant vous tous : qu'il renvoie sa mère chez son père ; nous, nous nous occuperons du mariage et des cadeaux de noce. Sinon, nous ne cesserons pas de l'irriter par notre cour. Nous ne craignons personne, ni Télémaque, tout bavard qu'il soit, ni toi, vieillard, avec tes prédictions creuses. Nous continuerons à manger ses biens, sans payer en échange, tant qu'elle n'aura pas choisi entre les Achéens.

Télémaque, en garçon avisé, lui dit en face :

— Eurymaque et vous, nobles prétendants, je ne parlerai plus de cela ; maintenant les dieux et tous les Achéens connaissent l'affaire. Allons, accordez-moi un bateau rapide et vingt compagnons ; je veux aller à

Sparte et à Pylos, au milieu des sables, pour interroger les gens sur le retour de mon père. Si j'apprends que mon père vit et va revenir, j'attendrai encore un an, malgré ma lassitude. Si j'apprends qu'il est mort, qu'il n'est plus, une fois revenu dans ma patrie, j'érigerai un tertre funèbre et j'accomplirai les rites, puis je donnerai ma mère à un mari.

Sur ces mots il s'assit. À son tour se leva Mentor, compagnon du héros irréprochable Ulysse, Mentor qui avait reçu mission de veiller sur sa maison. Il prit la parole avec sagesse :

— Écoutez-moi, maintenant, gens d'Ithaque. Que désormais il n'y ait plus aucun roi porteur de sceptre doux et bienveillant, ni sage ! Que tous les rois soient méchants et impies, puisque personne ne se souvient d'Ulysse, parmi son peuple, lui qui était comme un père pour nous ! Je ne critique pas ces prétendants arrogants, après tout ils risquent leur tête si Ulysse revient. Mais vous, peuple d'Ithaque, je vous en veux. Vous restez là assis à ne rien dire, vous êtes la majorité et vous n'avez pas un mot pour arrêter cette poignée de prétendants !

Un autre prétendant lui répondit :

— Mentor de malheur, fou furieux, tu les excites à nous arrêter ? Même quand on est supérieur en nombre, il serait bien fou de faire la guerre pour un repas ! Si vraiment cet Ulysse d'Ithaque revenait chez lui, s'il nous trouvait à banqueter dans sa maison et voulait nous chasser de chez lui, sa femme n'aurait pas lieu de se réjouir ! Sur place il rencontrerait une triste fin ! Quant à Télémaque, jamais il n'accomplira son voyage !

Sur ces mots, on leva brusquement la séance et tout le peuple se dispersa. Quant à Télémaque, il s'écarta et s'en alla vers le bord de mer. Il se lava les mains dans la mer blanche d'écume et pria Athéna, lui demandant son aide. Et voici qu'Athéna s'approcha de lui. Elle avait l'apparence et la voix de Mentor, et lui adressa ces paroles, flèches ailées :

— Télémaque, tu ne seras plus tard ni lâche ni sot ; puisse entrer en toi la noble fougue de ton père, pour réfléchir et pour agir ! Ton voyage aura son utilité et son but si vraiment tu es de sa race et de celle de Pénélope. Laisse donc ces fous de prétendants à leurs projets ; ils n'ont ni raison, ni esprit de justice, ils ne voient pas que la déesse noire de la mort est là, tout près d'eux. Toi, songe à ton voyage, fais préparer les provisions, enferme tout, le vin dans les amphores, la farine, régal des rameurs, dans des sacs de cuir bien clos. Moi je vais rassembler dans le peuple un équipage de volontaires ; il y a bien des bateaux dans Ithaque baignée par la mer, des neufs et des vieux. Je vais choisir le meilleur, nous l'équiperons et nous le lancerons sur la vaste mer.

Télémaque, après avoir entendu la voix de la déesse, ne s'attarda pas et revint à la maison. Il y trouva les prétendants qui dépouillaient les chèvres et faisaient griller les porcs gras dans la cour. Avec un grand rire Antinoos alla droit à Télémaque, lui prit la main et lui dit :

— Allons, Télémaque, bavard interminable, arrête de penser à mal, viens manger et boire avec nous, comme avant. Tu vois bien que les Achéens feront ce que tu demandes, te donneront bateau et bon équipage pour que tu ailles à Pylos la très sainte chercher des nouvelles de ton père.

Télémaque, en garçon avisé, lui dit en face :

— Antinoos, il n'est plus question de dîner avec vous, sans rien dire devant votre arrogance, en participant tranquillement à vos plaisirs. N'est-ce pas suffisant que vous mangiez depuis si longtemps le meilleur de mes biens, prétendants ? Mais j'étais encore petit. Maintenant je suis grand, j'entends ce que disent les gens et la rancœur a grandi dans mon cœur. J'essaierai de lancer contre vous les déesses mauvaises de la mort, que je parte pour Pylos, ou que je reste dans ce pays.

Il arracha sa main de celle d'Antinoos ; les autres l'insultaient :

— Voilà Télémaque qui prépare notre mort ! Il va ramener du secours de Pylos ou même de Sparte, ou encore il veut aller au riche pays d'Éphyre, pour en rapporter un poison mortel. Il le versera dans le cratère et nous supprimera tous.

— Qu'il parte, lui aussi, sur son bateau creux, disait un autre, qu'il aille errer et se perdre loin des siens, exactement comme Ulysse. Nous aurions à partager entre nous ses biens aussi !

Télémaque sans répondre descendit dans la haute resserre de son père. Elle était vaste, l'or et le bronze s'y trouvaient en tas ; les coffres regorgeaient d'étoffes ; on y gardait une bonne réserve d'huile d'olive au suave parfum ; des jarres de vin vieux au fin bouquet y étaient rangées debout, appuyées contre le mur ; on les réservait pour le retour d'Ulysse. Les deux battants de la porte étaient solidement clos ; jour et nuit une surveillante les gardait, l'œil aux aguets, c'était Euryclée. Télémaque l'appela :

— Bonne mère, puise le vin et verse-le dans les amphores ; prends le plus doux, le plus parfumé, celui que tu gardes pour son retour. Emplis-moi douze amphores et ajuste bien les bouchons, verse-moi de la farine dans des sacs de cuir bien cousus, vingt mesures de farine finement moulue ; mais ne le dis à personne ! Rassemble tout, je viendrai le chercher ce soir, quand ma mère sera couchée dans sa chambre. Je pars pour Sparte et Pylos au milieu des sables, y chercher des nouvelles de mon père.

Euryclée se récria, mais Télémaque l'apaisa :

— N'aie pas peur, bonne mère, mon plan a l'appui d'un dieu. Jure-moi de ne rien dire à ma mère avant onze ou douze jours, ou avant qu'elle ne me réclame et apprenne mon départ, je ne veux pas qu'elle pleure et déchire son beau visage.

La vieille lui jura le grand serment des dieux, puis elle versa le vin dans les amphores, la farine dans les sacs de cuir bien cousus. Pendant ce temps, Athéna la déesse aux yeux d'aigue-marine allait par toute la cité, sous les traits de Télémaque, et allait trouver chaque rameur pour lui fixer rendez-vous pour le soir, au bateau. Elle avait emprunté un bateau rapide à Noémon qui avait accepté de grand cœur.

Le soleil se coucha et les rues se remplissaient d'ombre ; alors elle tira le bateau à la mer, y plaça le gréement habituel des bateaux pontés et l'emmena au bout du port, où le bon équipage attendait ; la déesse donnait du cœur à chacun. Puis elle revint à la maison d'Ulysse et versa un doux sommeil sur les prétendants. Abrutis de boisson, ils lâchaient leurs coupes et se levaient pour aller dormir en ville, car le sommeil alourdissait leurs paupières. Puis elle appela Télémaque :

— Télémaque, ton équipage est en place, il attend tes ordres ; partons !

Sur ces mots, Pallas Athéna le guida en hâte. Lui, il mettait ses pas dans les traces de la déesse. Près de la mer et du bateau ils trouvèrent les compagnons à la belle chevelure :

— Mes amis, allons chercher les vivres ; ils sont rassemblés à la maison. Ma mère n'en sait rien, ni aucune servante, sauf une.

Les autres le suivirent et entassèrent les vivres dans le bateau bien ponté, selon les indications du fils d'Ulysse.

Ils embarquèrent. Athéna, sous la forme de Mentor, alla s'asseoir à la poupe et Télémaque s'assit auprès d'elle. On largua les amarres et l'équipage s'assit aux bancs de nage. Athéna aux yeux d'aigue-marine leur envoya un vent portant, un vent de plein ouest, qui passait en sifflant sur la mer couleur de vin. On hissa les voiles blanches avec les drisses de cuir. Le bateau prit le vent, le ressac écumant bruissait contre l'étrave. Le bateau glissait sur la vague. Alors on fixa tous les agrès sur le bateau noir, on remplit les cratères de vin à ras bord ; on fit libation aux Immortels, dieux toujours vivants, et avant tout autre à la fille de Zeus, aux yeux d'aigue-marine. Pendant toute la nuit et même à l'aurore, le bateau tailla sa route.

TÉLÉMAQUE ARRIVE CHEZ NESTOR, À PYLOS

Le soleil alors bondit, quittant la mer vers le ciel tout de bronze, pour apparaître aux Immortels et aux mortels, sur la terre porteuse de blé. Ils arrivèrent à Pylos, le bourg au bon site. Les habitants sacrifiaient sur la plage des taureaux tout noirs à Poséidon, l'Ébranleur du sol à la chevelure bleu sombre. Ils étaient installés par cinquante sur neuf rangées de bancs, avec neuf taureaux devant chaque rangée. Ils avaient goûté aux abats et rôti les cuisses pour le dieu.

Le bateau de Télémaque aborda directement. On plia les voiles, on mouilla le bateau, on débarqua. Athéna, sous la forme de Mentor, montrait la route à Télémaque :

— Télémaque, plus de timidité, plus la moindre ; tu as franchi la mer pour avoir des nouvelles de ton père. Va directement à Nestor, éleveur de chevaux, pour savoir les pensées qu'il cache en son cœur. Il te répondra franchement.

— Mentor, répondit Télémaque, comment faire ? Comment le saluer ? Je n'ai pas encore l'habitude des discours bien charpentés. Un jeune homme hésite à adresser la parole à un ancien.

— Télémaque, dit la déesse aux yeux d'aigue-marine, tu trouveras toi-même les mots dans ton cœur et la divinité t'en inspirera d'autres. C'est la volonté des dieux qui t'a fait naître et grandir.

Athéna le conduisit alors vers l'assemblée des Pyliens. Ils étaient en train d'apprêter le repas, de rôtir les viandes, tout en grillant des brochettes. Dès qu'on les aperçut, on les invita à prendre place. Le premier, Pisistrate, fils de Nestor, s'approcha, leur prit la main et les fit asseoir sur les douces toisons, sur le sable de la plage, près de son père. Il leur donna une part d'abats, leur versa du vin dans une coupe en or et les salua :

— Prie d'abord le Seigneur Poséidon, étranger, ce festin est en son honneur. Après ta libation et ta prière rituelle, donne à ton compagnon la coupe de vin sucré au miel pour sa libation.

— Écoute-moi, Poséidon Maître du sol, pria Athéna-Mentor, ne refuse pas notre demande. Accorde la gloire à Nestor et à ses fils et ta protection au peuple de Pylos, en échange de cette magnifique hécatombe. Accorde-nous, à Télémaque et à moi, la réussite dans notre quête.

Telle fut sa prière, et elle allait l'exaucer elle-même. Quand on eut son content de boisson et de nourriture, Nestor, le bon cavalier, prit le premier la parole :

— C'est un bien meilleur moment pour interroger les étrangers quand ils se sont réjouis d'un bon repas. Qui êtes-vous, étrangers ? Faites-vous du commerce ou cherchez-vous l'aventure, comme les corsaires, pillant au risque de votre vie ?

— Nestor, fils de Nélée, répondit Télémaque, gloire des Achéens, je vais tout t'expliquer, nous venons d'Ithaque, pour une affaire privée. Je suis à la recherche de mon père, ce héros bien connu, le divin Ulysse qui a combattu avec toi pour piller la ville des Troyens. Parmi tous les anciens combattants de Troie, nous savons comment chacun d'eux est mort ; mais Ulysse, Zeus fils de Cronos a caché même sa mort. Y as-tu assisté ? L'as-tu apprise d'un autre voyageur ? Ne me masque pas la vérité, n'aie pas de pitié, dis-moi tout bien franchement.

Le vieux cavalier, Nestor, lui répondit alors :

— Ami, tu évoques les malheurs que nous, les fils des Achéens, nous avons endurés d'un cœur inébranlable dans ce pays lointain, tous les malheurs subis sous les ordres d'Achille, en expéditions de pillage avec nos bateaux dans la brume de mer, en combats sous les murs de la grande ville du seigneur Priam. Les meilleurs sont morts, Ajax repose là-bas, Achille aussi, Patrocle aussi, conseiller incomparable, là-bas aussi mon fils, mon fils puissant et sans crainte, Antiloque, le meilleur à la course et au combat. Neuf ans nous leur avons tissé toute une trame de maux. Quand nous eûmes pillé la haute ville de Priam, Zeus prépara en son cœur un bien triste retour pour les Achéens, car il n'était parmi eux ni raison ni justice. La déesse aux yeux d'aigue-marine, fille du Tout-Puissant, fit naître une querelle dans le cœur des deux Atrides. Ils convoquèrent l'assemblée des Achéens à la légère, au coucher du soleil, et les Achéens arrivèrent tout lourds de vin. Ménélas poussait les Achéens à ne songer qu'au retour sur le large dos de la mer. Agamemnon n'était pas d'accord, il voulait sacrifier de saintes hécatombes pour apaiser Athéna d'abord. Les deux rois s'insultaient, les Achéens se partagèrent, avec un bruit épouvantable. Dès l'aurore nous tirons nos bateaux à la mer divine, nous y chargeons notre butin et nos captives au beau corsage. Mais l'autre moitié des soldats reste auprès d'Agamemnon. Nous embarquons au plus vite. Nos bateaux filent – un dieu avait aplani la mer, repaire de monstres gigantesques — et nous gagnons l'île de Ténédos. Là, Ulysse nous quitte et va retrouver Agamemnon. Nous, nous gagnons Lesbos puis le grand large. Un vent portant nous pousse en Eubée puis sur la côte d'Argos où débarquent Diomède et ses hommes. Et nous, portés par le même vent, nous arrivons à Pylos. Je ne sais rien de précis des autres, survivants ou morts. Je sais que les Myrmidons conduits par le noble fils d'Achille sont bien arrivés, de même que Philoctète ; Idoménée a ramené tous ses équipages en Crète. Quant à l'Atride, même dans votre île lointaine vous avez entendu parler de son retour, de la triste fin que lui avait préparée Égisthe et de la vengeance qu'en tira son fils, car il est bon de laisser un fils qui vous venge. Et toi aussi, mon ami, beau et grand comme tu es, sois vaillant afin que plus tard les générations futures fassent ton éloge !

— Nestor, répondit Télémaque, Oreste a eu une belle vengeance et les Achéens répandent sa gloire. Si seulement j'avais autant de vigueur, je me vengerais de ces prétendants, mais pour l'instant, je dois tout supporter.

— Mon ami, dit Nestor, c'est toi qui en as parlé. On dit que les prétendants, pour obtenir ta mère, malgré toi, dans ta maison, te procurent bien des soucis. Est-ce parce que ton peuple, dans ton pays, t'est hostile ?

Si seulement la déesse aux yeux d'aigue-marine voulait t'aimer comme elle aimait Ulysse, au pays des Troyens !

Télémaque, en garçon avisé, lui dit en face :

— Vieillard, je ne crois pas que cela arrive, j'ai grand-peur que cet espoir ne se réalise jamais, même si les dieux le voulaient.

— Télémaque, dit Athéna-Mentor, quelle parole a franchi la barrière de tes dents ? Quand il le veut, un dieu protège son homme, même de loin. Moi, je préférerais souffrir mille maux avant de rentrer plutôt que de revenir mourir à mon foyer, comme Agamemnon ! Même les dieux ne peuvent sauver un mortel, même leur favori, quand la déesse de la mort vient les faucher.

— Mentor, dit Télémaque, inutile d'en parler encore, malgré notre peine. Il n'y a plus de retour pour Ulysse, c'est bien vrai. Mais, Nestor fils de Nélée, dis-moi la vérité, comment l'Atride est-il mort, Agamemnon à la vaste puissance ? Où était Ménélas ? Quelle ruse a inventée Égisthe pour tuer un héros bien plus fort que lui ?

— Je m'en vais tout te dire, mon petit, repartit Nestor. Si le blond Ménélas était revenu de Troade et avait trouvé Égisthe encore vivant, dans cette maison, il ne lui aurait même pas accordé la terre d'un tombeau. Il aurait laissé son corps dans la plaine, loin de la ville, à dévorer pour les chiens et les oiseaux. Aucune Achéenne n'aurait osé le pleurer. Pendant que nous souffrions sous Troie, Égisthe en toute sûreté, au fond de l'Argolide aux bons prés à chevaux, enjôlait la femme d'Agamemnon. Clytemnestre refusait d'abord, car elle avait auprès d'elle l'aède qui, à la demande d'Agamemnon, devait veiller sur elle. Mais Égisthe s'empara de l'aède, le jeta dans une île déserte en proie aux oiseaux. Elle consentit alors. Ménélas revenait de Troade quand Zeus à la grande voix lui prépara une étape funeste. Il déchaîna contre lui les hurlements de l'ouragan et des lames monstrueuses, hautes comme des montagnes. La flotte de Ménélas fut coupée en deux, les uns furent jetés contre les écueils de Crète ; les vagues brisèrent leurs bateaux sur les rochers, les équipages échappèrent à grand-peine à la mort. Le vent et les courants portèrent le reste, cinq bateaux à la proue bleu sombre, vers l'Égypte. Ménélas resta là à faire du commerce, à amasser vivres et or chez ces étrangers. Pendant ce temps, Égisthe tua Agamemnon et prit le pouvoir. Sept ans durant il régna sur Mycènes riche en or. La huitième année, Oreste survint et lui apporta le malheur. Après l'avoir tué, Oreste célébrait le repas de funérailles pour sa mère coupable et pour Égisthe le lâche, quand revint, ce même jour, le blond Ménélas avec ses trésors. Va donc le trouver car c'est lui qui est revenu le dernier, va le voir avec ton bateau et ton équipage. Mais si tu préfères la route terrestre, je t'offre char et chevaux, mes fils comme guides, qui te conduiront à Sparte chez le blond Ménélas.

— Bien dit, vieillard, intervint Athéna-Mentor. Mais après avoir fait libation à Poséidon et aux autres Immortels, songeons au lit, c'est l'heure. La lumière a disparu dans l'ombre. Il ne faut pas rester assis trop longtemps ; même au banquet des dieux, il faut savoir s'en retourner.

Comme Athéna et Télémaque à l'allure divine voulaient retrouver leur bateau creux, Nestor les retint :

— Que Zeus et les autres Immortels me préservent de cet affront ! Me croyez-vous si démuni de draps ? Ma maison regorge de couvertures et de couvre-lits ! Le fils d'Ulysse n'ira pas coucher sur un banc dans son bateau tant que je vivrai, tant que mes fils pourront accueillir les hôtes dans ma maison !

— Télémaque doit t'obéir, répondit Athéna, le mieux est qu'il aille dormir dans ta maison. Moi je vais retourner au bateau à coque noire, encourager l'équipage et passer les consignes. Je suis l'aîné, les jeunes gens suivent Télémaque par solidarité d'âge.

Toi, puisqu'il est venu dans ta maison, envoie-le avec un char et un de tes fils, donne-lui ton attelage le plus rapide et le plus résistant.

Sur ces mots, Athéna la déesse aux yeux d'aigue-marine disparut sous la forme d'un vautour, et la terreur saisit tous les Achéens. Nestor dit à Télémaque :

— Ami, tu ne seras ni lâche ni sans valeur, puisque les dieux te servent de guide ! Car ce n'est personne d'autre parmi les Olympiens que la fille de Zeus, la Puissante Athéna, protectrice des Achéens. Ô suzeraine, sois-nous favorable, accorde-nous la gloire, moi je te sacrifierai une génisse d'un an, au vaste front, non dressée, qui n'a jamais porté le joug.

Pallas Athéna l'entendit et accepta sa prière.

Nestor ramena son monde à la maison et on s'installa pour le repas. En l'honneur de son hôte, il fit mélanger dans le cratère un vin au fin bouquet, un vin de dix ans que l'intendante avait débouché en détachant son couvercle. Puis l'on fut se coucher.

Sous le porche sonore, Nestor avait fait disposer deux lits, l'un pour Télémaque, l'autre pour Pisistrate à la lance de frêne, le dernier fils de la maison à n'être pas marié. Quand, fraîche éclose, apparut l'Aurore aux doigts de rose, le vieux cavalier, Nestor, bondit du lit et alla s'asseoir sur le banc de pierres polies près de la haute porte, pierres blanches, luisantes de cire. Ses six fils vinrent s'asseoir près de lui et avec eux Télémaque.

— Allons vite, mes enfants, accomplissons mon vœu à Athéna ; allez chercher une génisse au pré. Que quelqu'un aille quérir l'équipage de Télémaque, qu'un autre amène ici l'orfèvre pour qu'il dore les cornes de la bête. Vous autres restez là, dites aux servantes d'apprêter un festin de fête ; qu'on nous apporte des sièges, du bois, de l'eau pure.

Nestor répandit l'eau lustrale et les grains d'orge, fit une prière à Athéna et jeta dans le feu quelques crins. On abat la bête, on l'égorge, on la dépèce, on détache les cuisseaux selon le rite, on les enveloppe de graisse. Le vieillard les brûle sur les bûches refendues et fait libation avec du vin couleur de feu. Les jeunes gens tenaient les broches à cinq pointes ; on brûla entièrement les cuisseaux, on goûta aux abats. On trancha la viande, on la mit en brochettes et on la grilla. Pendant ce temps, la jolie Polycaste baignait Télémaque. C'était la plus jeune des filles de Nestor. Une fois qu'elle l'eut lavé et frotté d'huile d'olive, elle le vêtit d'un manteau fin et d'une tunique. Il sortit de la baignoire, il avait l'allure d'un dieu. Il revint s'asseoir près de Nestor.

Quand on eut son content de nourriture et de boisson, Nestor donna ses ordres :

— Mes fils, amenez les chevaux à la belle crinière, placez-les sous le joug, attelez-les au char.

Ses fils lui obéirent et attelèrent au char les chevaux rapides. L'intendante chargea des provisions de luxe. Télémaque et Pisistrate montèrent sur le char et Pisistrate prit les rênes en main. Il fit claquer le fouet ; d'un même élan, les chevaux s'envolèrent vers la plaine, quittant le bourg escarpé de Pylos.

Toute la journée, les chevaux secouèrent le joug qui les unissait. Le soleil se coucha, toutes les rues se remplissaient d'ombre, ils arrivaient à Phères où le roi Dioclès leur offrit l'hospitalité pour la nuit.

Quand apparut, fraîche éclose, l'Aurore aux doigts de rose, ils attelèrent les chevaux et montèrent dans le char aux vives couleurs. Ils franchirent le vestibule et le porche sonore vers la plaine à blé. Ils firent l'étape d'une traite, si vite les emmenaient les chevaux. Le soleil se coucha et toutes les rues se remplissaient d'ombre.

TÉLÉMAQUE CHEZ MÉNÉLAS, À SPARTE

Ils atteignirent Lacédémone aux ravins profonds et se dirigèrent vers le palais de l'illustre Ménélas. Le roi célébrait le double mariage de ses enfants. On festoyait donc dans la haute demeure et l'aède divin chantait pour eux, s'accompagnant à la cithare et rythmant les évolutions de deux acrobates qui tourbillonnaient au milieu. Les deux jeunes gens arrêtèrent leur attelage au porche de la maison. L'un des serviteurs les aperçut et vint prévenir Ménélas :

— Voici deux étrangers, Ménélas, qui ont l'air d'être de race royale, issus de Zeus. Faut-il dételer leurs chevaux rapides ou les envoyer ailleurs chercher qui les recevra ?

Le blond Ménélas se mit en colère :

— Tu n'étais pas stupide, auparavant, mais maintenant tu parles comme un enfant. Nous avons bien souvent mangé le pain des autres, tous les deux, avant de revenir ici. Dételle les chevaux des étrangers et conduis-les se restaurer ici.

Aussitôt on dételle les chevaux écumant sous le joug, on les attache devant les râteliers, on leur donne du blé, même de la farine d'orge ; on appuie le char en face contre le mur brillant. Les deux jeunes gens sont introduits dans le palais divin, pleins d'admiration : c'était comme un éblouissement de soleil et de lune.

On les conduisit au bain dans des baignoires polies ; les servantes les lavèrent et les enduisirent d'huile. Vêtus de beaux habits, ils revinrent s'asseoir près de l'Atride Ménélas. La servante apporta l'aiguière, en or, magnifique, versa l'eau lustrale sur leurs mains, au-dessus d'un bassin d'argent, et dressa à côté d'eux une table bien raclée. L'intendante leur apporta le pain et les plats de viande.

— Bon appétit à tous deux, leur dit le blond Ménélas. Une fois que vous aurez goûté au repas, nous vous demanderons qui vous êtes, certainement de la race des rois porteurs de sceptre.

Sur ces mots, il prit dans ses mains un filet de bœuf bien gras, sa part d'honneur, et la leur offrit. Quand on eut son content de nourriture et de boisson, Télémaque chuchota à Pisistrate :

— Regarde l'éclair du bronze dans ce palais sonore, celui de l'or, de l'argent, de l'ivoire. La grand-salle de Zeus Olympien est-elle aussi belle ?

Ménélas l'entendit et intervint :

— Mes enfants, aucun mortel ne peut rivaliser avec Zeus. Mais j'ai bien peiné, bien erré et je ne suis revenu qu'au bout de sept ans, après être allé à Chypre, en Phénicie, en Éthiopie et en Libye, où les agneaux naissent avec des cornes, où ni prince ni berger ne manque de fromage ou de viande, ni de lait sucré. Mais comme je préférerais n'avoir que le tiers de tout cela et que mes hommes soient encore vivants, ceux qui sont morts dans la vaste Troade, loin des prés à chevaux d'Argos. Mais je ne pleure pas sur eux autant que je pleure la perte d'un héros, Ulysse, qui tant peina pour moi ! À son souvenir, je perds le sommeil et l'appétit. Ma douleur est infinie, je ne sais s'il est vivant ou mort.

À ces mots Télémaque sentit monter en lui un désir de sanglots. Ses larmes coulaient au nom de son père. Il se cacha les yeux sous son manteau de pourpre. Ménélas le vit et devina qui il était. Mais il hésitait. Alors Hélène sortit de sa chambre pleine de parfums, au plafond élevé, semblable à Artémis au fuseau d'or. Elle s'assit sur un siège et demanda :

— Ménélas, qui sont ces jeunes gens ? Ou je me

trompe fort, mais je dis que je n'ai jamais vu personne ressembler autant au vaillant Ulysse ; ne serait-il pas ce Télémaque qu'il a laissé nouveau-né dans sa maison, quand vous êtes venus porter la guerre en Troade, pour moi, pauvre chienne ?

— C'est aussi mon avis, répondit Ménélas. Il a mêmes pieds, mêmes mains, mêmes regard, tête et cheveux. Comme je mentionnais Ulysse, il s'est caché pour pleurer.

Pisistrate, fils de Nestor, intervint :

— Atride Ménélas issu de Zeus, chef du peuple, c'est bien le fils d'Ulysse, mais il est modeste et se serait reproché de parler alors que nous étions sous le charme de ta voix divine. Moi, c'est Nestor, le vieux cavalier, qui m'a chargé de lui servir de guide, car Télémaque voulait te voir pour te demander un conseil ou un appui.

— Hélas, s'écria Ménélas, voici que le fils de mon ami est venu dans ma demeure, le fils d'un héros qui a subi tant d'épreuves pour moi ! Si Zeus nous avait accordé d'échapper tous deux à la mer, je lui aurais donné une cité en Argolide et nous aurions vécu ensemble ; mais un dieu nous a refusé ce bonheur.

Il parla ainsi et en tous il fit monter le désir de sanglots. Tous pleuraient, Hélène l'Argienne, Télémaque, l'Atride Ménélas et même Pisistrate, le fils de Nestor.

Mais Hélène eut une idée, elle jeta dans le cratère une drogue d'apaisement qui dissipait le chagrin, même si l'on avait perdu père et mère, même si devant soi on avait vu tomber un frère ou un fils, déchiré par le bronze. La fille de Zeus avait reçu cette drogue en cadeau de la reine d'Égypte : ce pays produit aussi bien des poisons que des remèdes et ses médecins sont les plus experts du monde. Quant elle eut jeté la drogue dans le vin et eut fait verser à boire, elle leur dit :

— Ménélas fils d'Atrée et vous fils de héros, festoyez et laissez-vous prendre au charme des récits. Je ne saurais vous raconter tous les exploits d'Ulysse, mais voici le coup d'audace risqué par ce héros puissant, au pays des Troyens. Il s'était accablé lui-même de coups affreux, s'était couvert de loques ; travesti en mendiant, il s'était glissé chez les ennemis. Tout le monde s'y trompa, mais moi, je fus seule à le reconnaître. Il niait adroitement. Mais quand je l'eus lavé, frotté d'huile, vêtu de neuf et que j'eus prêté serment de ne pas révéler sa présence, il m'expliqua le plan des Achéens ; il massacra ensuite bien des Troyens de sa lame effilée et s'en fut faire rapport aux Achéens. Les autres Troyennes criaient de douleur, moi je me réjouissais en moi-même, car mon cœur me poussait à revenir chez moi. Je pleurais la folie dont m'avait accablée Aphrodite, qui m'avait fait quitter ma patrie, ma fille et mon mari.

— J'ai connu les conseils et l'esprit de bien des héros, renchérit Ménélas, j'ai vu bien des pays, mais je n'ai jamais vu, de mes yeux vu, un cœur comparable à celui du patient Ulysse. Nous étions cachés dans le cheval de bois, nous les chefs des Achéens, pour porter la mort aux Troyens. Un dieu de leur parti vint te conduire là, Hélène. Trois fois tu fis le tour du cheval creux en appelant par son nom chacun des héros, en imitant la voix de son épouse. Diomède et moi nous allions répondre, quand Ulysse nous arrêta et nous retint.

Télémaque en garçon avisé lui dit en face :

— Atride Ménélas, issu de Zeus, c'est encore plus triste ; cela ne lui a pas permis d'échapper à sa propre mort.

Sur ces mots, Hélène l'Argienne fit dresser les lits dans l'entrée pour les hôtes, placer de jolis draps de pourpre, dérouler des tapis et des couvertures de haute laine par-dessus. L'Atride s'en alla dormir auprès d'Hélène à la robe traînante, belle entre toutes les femmes.

Quand parut, fraîche éclose, l'Aurore aux doigts de rose, Ménélas au bon cri de guerre bondit de son lit, s'habilla, plaça son épée dans son baudrier d'épaule,

noua ses bonnes sandales à ses pieds et vint s'asseoir
auprès de Télémaque :

— Est-ce une affaire publique ou une affaire privée
qui t'a mené ici, héros Télémaque ?

— Atride Ménélas, issu de Zeus, je suis venu chercher des nouvelles de mon père. Ma maison est remplie d'ennemis qui sans cesse égorgent mes moutons
en troupeaux, mes bœufs cornus au sabot qui tourne.
Ce sont les prétendants de ma mère.

Le blond Ménélas se mit en colère et s'écria :

— Quand une biche vient cacher ses faons dans l'antre
du lion, puis s'en va brouter dans un vallon, le lion
revient et leur inflige un sort affreux. Si seulement Ulysse
pouvait revenir, les prétendants auraient destin rapide
et noces amères ! J'étais bloqué depuis vingt jours dans
l'îlot de Pharos, à une journée de l'Égypte, attendant les
vents favorables. Nos vivres s'épuisaient. Mon équipage
était occupé à pêcher sur le rivage, je me promenais
seul. Alors Idothée, la fille du puissant Protée, le Vieux
de la mer, vint me trouver et je l'interrogeai :

« Dis-moi, déesse dont j'ignore le nom, envers quel
dieu je suis fautif, quel Immortel m'enchaîne, m'interdit le départ et le retour par la mer poissonneuse.

— Je vais te parler franchement, étranger ; mon
père, l'infaillible Protée, le Vieux de la mer, vient

souvent ici. Si tu pouvais le surprendre et le saisir, il te dirait la route et les escales. Il te dirait aussi les malheurs et les joies survenus dans ta maison. Quand le soleil atteint le milieu du ciel, l'infaillible Vieux de la mer sort des vagues, roulé dans un noir friselis d'eau, et vient se coucher au fond d'une caverne. Autour de lui viennent s'étendre ses phoques, en troupeau, sortant du fond de la mer blanche d'écume, répandant l'odeur des abîmes marins. C'est là que je te conduirai dès l'aurore. Quand il aura compté tous ses phoques, le Vieux se couchera au milieu d'eux, comme un berger au milieu des moutons. Dès que vous l'aurez vu s'endormir, utilisez la force. Il tentera de se métamorphoser en tout animal de terre, en eau, en feu ; vous, tenez-le d'autant plus solidement ! Mais quand il redeviendra lui-même et vous parlera, laissez la violence, déliez le Vieux, demandez-lui quel dieu vous en veut. »

Sur ces mots elle plonge dans les vagues de la mer, moi je reviens aux bateaux échoués sur la plage. Mais quand paraît, fraîche éclose, l'Aurore aux doigts de rose, j'emmène avec moi trois compagnons de confiance. La déesse, plongeant dans le vaste creux de la mer, en avait rapporté quatre peaux de phoque fraîchement écorchées et avait creusé nos lits dans le sable de la plage. Elle nous fait coucher et jette sur nous les peaux de phoque. L'odeur de phoque était épouvantable ; qui coucherait auprès d'un animal marin ? Mais la déesse nous avait placé sous le nez à chacun un tampon d'ambroisie au parfum suave qui fit disparaître l'odeur. Voici midi, les phoques sortent de la mer et viennent se ranger sur la plage où la mer se brise. Le Vieux les compte, nous avec, puis se couche. Nous nous précipitons sur lui, il se change en lion à forte crinière puis en serpent, en panthère, en sanglier géant, en ruisseau, en arbre ; nous, nous le tenons ferme. À la fin, il parle :

« Que veux-tu, fils d'Atrée ?

— Dis-moi, Vieux de la mer, quel Immortel m'enchaîne, m'interdit le départ et le retour par la mer poissonneuse.

— C'est Zeus, auquel tu aurais dû offrir un sacrifice pour rentrer au plus court ; tu ne reverras ton haut palais qu'après être retourné en Égypte et avoir offert aux Immortels, Maîtres du vaste ciel, de saintes hécatombes.

— J'accomplirai tout cela, Vieux de la mer ; mais dis-moi, tous les Achéens que nous avons laissés, Nestor et moi, quand nous avons quitté la Troade, ont-ils survécu, sont-ils morts sur leur bateau ou au sein de leur famille ?

— Il vaudrait mieux, Atride, ne pas m'interroger sur ce point ; tu vas pleurer dès que tu sauras tout. Deux chefs des Achéens à la tunique de bronze sont morts au cours du retour, un troisième vit encore, prisonnier sur la vaste mer. Le premier, Ajax le Petit, a disparu avec sa flotte aux longues rames. Poséidon l'avait jeté contre des écueils mais sauvé de la mer ; il aurait évité la colère d'Athéna, s'il n'avait crié qu'il échappait au gouffre de la mer malgré les dieux. Poséidon fendit d'un coup de trident le rocher sur lequel il avait trouvé refuge, et la mer l'emporta. Le second, c'est ton frère Agamemnon. Il venait d'arriver dans sa patrie, avec quelle joie ! Il en embrassait le sol, pleurant à chaudes larmes. Mais un guetteur posté par Égisthe l'avait aperçu et courut porter la nouvelle au palais. Égisthe prépara aussitôt son piège. Il mit en embuscade vingt complices et ordonna un grand banquet. Puis il alla inviter Agamemnon, avec un cortège de chevaux et de chars. Il le fit entrer et l'égorgea par surprise, comme on tue un bœuf près de sa mangeoire. »

Mon cœur éclata ; je m'assis sur le sable pour pleurer, je n'avais plus envie de vivre ni de voir la lumière du soleil.

« Ne perds plus de temps à pleurer, continua le Vieux de la mer, reviens au plus vite dans ta patrie. Ou bien tu trouveras Égisthe encore vivant, ou bien Oreste l'aura tué le premier et tu participeras au repas funèbre.

— Mais le troisième, celui qui est prisonnier sur la vaste mer ?

— C'est le fils de Laerte, celui qui habite Ithaque. Je l'ai vu dans une île, pleurant à chaudes larmes, dans le palais de la Nymphe Calypso qui le retient de force. Quant à toi, Ménélas issu de Zeus, ton destin n'est pas de mourir en Argolide aux bons prés à chevaux. Les Immortels t'enverront aux Champs Élysées, au bout du monde, où t'attend une vie merveilleuse, sans neige, sans hiver, sans pluie. »

Il dit et replonge dans les vagues de la mer. Je reviens aux bateaux, tout songeur. Dès que paraît, fraîche éclose, l'Aurore aux doigts de rose, nous tirons nos bateaux à la mer divine, nous plaçons mâts et voiles dans nos coques équilibrées ; l'équipage s'installe aux bancs de nage, les rames frappent la mer écumante. Une fois l'hécatombe offerte aux dieux en Égypte, un vent portant me ramène dans ma patrie. Toi, Télémaque, reste dans mon palais dix ou onze jours. Je te renverrai ensuite avec de beaux cadeaux, trois chevaux, un char à la caisse polie, mon gobelet précieux, afin que tu te souviennes de moi en faisant libation aux dieux.

— Atride, répondit sagement Télémaque, ne me

retiens pas aussi longtemps. Je resterais bien ici un an à écouter tes merveilleux récits. Mais pendant ce temps, mes hommes s'ennuient dans la sainte Pylos. Que ton cadeau soit le gobelet précieux ; je ne peux emmener les chevaux en Ithaque. Tu règnes sur de vastes herbages ; en Ithaque, nous n'avons ni larges pistes ni plaines. Notre île ne nourrit que des chèvres, mais elle me plaît plus qu'un pâturage à chevaux.

Ménélas sourit :

— Mon enfant, à t'entendre, on sait que tu es de bonne race. Je vais changer mes cadeaux. J'ai de quoi faire. Je vais te donner le plus beau de mes trésors, le plus précieux, mon cratère ciselé, en argent massif, le rebord est en or. C'est l'œuvre d'Héphaïstos ; le roi des Phéniciens me l'a donné en cadeau d'hospitalité.

Tandis qu'ils parlaient entre eux, en Ithaque les prétendants jouaient comme à l'accoutumée devant la maison d'Ulysse au lancer de disques et de javelots. Antinoos était assis à côté d'Eurymaque ; c'étaient les deux chefs des prétendants. Alors survint Noémon, le fils de Phronios qui, s'approchant d'eux, leur dit :

— Antinoos, sais-tu quand Télémaque doit revenir de Pylos au milieu des sables ? Il est parti avec mon bateau, mais j'en ai besoin maintenant pour aller dans la vaste Élide où j'ai douze juments avec leurs mulets. Je voudrais aller en dresser un.

L'étonnement saisit leur cœur. Ils ne pensaient pas que Télémaque était allé à Pylos ; ils le croyaient aux champs ou près des moutons, ou chez le porcher.

Antinoos s'écria :

— Dis-moi la vérité, où est-il parti ? Avec quel équipage ? T'a-t-il pris ton bateau à coque noire de force ou le lui as-tu prêté de bon gré ?

— Je le lui ai prêté de bon cœur ; que faire quand un grand, dans le souci, vous en fait la demande ? Comment refuser ? Son équipage, c'était l'élite de la jeunesse d'Ithaque. J'ai vu avec eux s'embarquer pour le diriger, Mentor, tout pareil à un dieu. Mais une chose m'étonne, c'est que j'ai revu Mentor ici même hier matin, alors qu'il était parti pour Pylos.

Antinoos, à cette nouvelle, les yeux noirs étincelant de colère, interrompit les jeux :

— Malheur, ce grand exploit est accompli ! Quelle arrogance que ce voyage, nous ne l'imaginions pas. Malgré notre nombre, il s'en est allé, ce petit garçon, malgré nous ! Eh bien, tirons un bateau à la mer, choisissons un équipage, vingt hommes, pour que je le guette à son retour dans le détroit entre Ithaque et les falaises de Samé. Il va payer son amour des voyages !

Mais Pénélope apprit aussitôt leur complot. Ce fut Médon le héraut qui la prévint. Il les avait entendus, comme il se trouvait à l'extérieur. Pénélope lui dit, comme il passait le seuil :

— Héraut, pourquoi les nobles prétendants t'ont-ils envoyé ? Est-ce pour dire aux servantes du divin Ulysse d'arrêter leur ouvrage pour leur préparer le festin ? Si seulement c'était leur dernier repas chez nous ! Est-ce que vos pères ne vous ont pas dit, quand vous étiez petits, ce que représentait Ulysse pour vos parents, qu'il n'avait jamais rien ordonné ni rien fait d'arbitraire dans le pays, comme le font d'ordinaire les rois ? Mais il n'est plus de reconnaissance pour les bienfaits !

— Reine, si seulement c'était le pire ! Mais voici le plus horrible de tout : les prétendants veulent tuer Télémaque sur le chemin du retour, car il est allé chercher des nouvelles de son père à Pylos et à Sparte.

Pénélope sentit son cœur s'arrêter et ses genoux se dérober sous elle ; elle ne pouvait plus parler ; ses yeux se remplirent de larmes. Elle vint s'asseoir au milieu de ses suivantes :

— Amies, écoutez-moi. L'Olympien m'a accablée de malheurs plus qu'aucune autre mortelle. J'ai perdu mon époux, le meilleur des Achéens, et voici que l'ouragan m'a arraché mon fils chéri. Et pas une pour me le dire, malheureuses !

— Ma petite fille, s'exclama la nourrice Euryclée, tue-moi avec le bronze sans pitié ou laisse-moi vivre à la maison ! C'est moi qui ai préparé les provisions, pain et vin doux. Il m'avait fait promettre de ne rien te dire. Mais va te baigner, passe des vêtements propres, regagne ta chambre à l'étage, prie Athéna, la fille de Zeus Maître de l'égide.

Pénélope suivit ses conseils et pria Athéna, avec les formules rituelles.

Cependant les prétendants préparaient la mort de Télémaque. Antinoos choisit vingt braves et se dirigea vers le bateau rapide, au rivage de la mer. Ils tirèrent le bateau dans un creux d'eau, chargèrent mât et voiles dans la coque noire, ajustèrent les rames aux anneaux de cuir, bien en place, déployèrent les voiles blanches et s'en allèrent mouiller en eau profonde. Puis, après le repas du soir, ils se mirent en route. Il est un îlot rocheux au milieu de la mer, entre Ithaque et les falaises de Samé, un petit îlot. Il y a là deux ports jumeaux. C'est là que les prétendants s'embusquèrent.

ULYSSE QUITTE CALYPSO
ET RETROUVE LA COLÈRE DE POSÉIDON

L'Aurore s'était levée du lit de son époux, le noble Tithon, pour porter la lumière aux Immortels et aux mortels. Les dieux s'asseyaient pour un conseil autour de Zeus qui tonne dans les hauteurs. Athéna leur parlait des souffrances d'Ulysse :

— Zeus Père et vous tous Bienheureux toujours vivants, que plus aucun des rois porteurs de sceptre ne se soucie d'être sage, doux et bienveillant ! Que tous soient cruels et impies, puisque aucun de ses sujets ne se souvient du divin Ulysse ! Il souffre mille morts, retenu de force par la Nymphe Calypso.

Zeus se tourna vers Hermès :

— Hermès, c'est toi qui es notre messager ; va dire à la Nymphe aux belles boucles notre décision sur le retour d'Ulysse. Sans aide, sur un radeau improvisé,

63

en vingt jours, il atteindra Schérie, le pays des Phéaciens. Ce sont eux qui le ramèneront dans sa patrie, en le comblant de bronze, d'or et d'étoffes.

Hermès obéit ; il noua aussitôt à ses pieds ses bonnes sandales, merveilleuses, dorées, qui le portent par les mers et la terre immense, sur les souffles des vents. Il saisit la baguette dont il se sert pour endormir ou réveiller les hommes et s'envola. Il s'abattit sur la mer, et rasa les vagues, semblable à un goéland qui chasse le poisson dans les creux terribles de la haute mer et mouille de sel son plumage serré. Mais quand il eut atteint l'île du bout du monde, Hermès sortit de la mer couleur de violette et se dirigea vers la caverne où habitait la Nymphe aux belles boucles.

Il la trouva à l'intérieur, près d'un grand feu qui flambait dans le foyer. On sentait de loin l'odeur de cèdre refendu et de thuya qui se répandait dans toute l'île. Elle chantait à voix harmonieuse et tissait en faisant courir sa navette d'or. Un bois touffu avait poussé près de la grotte, peupliers et cyprès odoriférants. C'était le gîte d'oiseaux aux larges ailes, chouettes, faucons, cormorans. Une vigne en pleine vigueur se déployait autour de la grotte profonde, chargée de grappes. De quatre sources coulait une eau limpide ; tout autour la violette et le persil couvraient les prés. C'était un lieu enchanteur, même pour un Immortel.

Hermès resta à l'admirer puis il pénétra dans la vaste caverne et Calypso, divine entre toutes les déesses, le reconnut aussitôt. Elle le fit asseoir sur un fauteuil luisant de cire :

— Pourquoi viens-tu chez moi, Hermès à la baguette d'or. Tu es mon ami et mon supérieur. Mais avant, tu ne venais pas souvent ici. Dis-moi ce que tu veux, je l'accomplirai si cela est possible.

Parlant ainsi la déesse dressa la table, la remplit d'ambroisie et mélangea le rouge nectar. Hermès mangea et but, puis il lui dit :

— C'est Zeus qui m'a ordonné de venir ici, malgré moi. Qui aurait de lui-même l'idée de traverser une telle étendue de mer ? Il n'y a même pas de cité proche où les mortels offrent aux dieux de saintes hécatombes ! Mais quand Zeus Maître de l'égide commande, comment refuser ? Il déclare que tu retiens un héros, le plus malheureux de tous les héros qui ont combattu autour de Troie. Il faut le renvoyer au plus tôt, car son destin n'est pas de mourir ici, loin des siens.

Calypso frissonna et lui adressa ces paroles, flèches ailées :

— Vous êtes malfaisants, dieux, et envieux entre

tous. Vous refusez aux déesses le droit de coucher avec un mortel, ouvertement, quand elles en ont fait leur époux. Lui, c'est moi qui l'ai sauvé, cramponné tout seul à sa coque, car Zeus avait fracassé son bateau d'un coup d'éclair blanc en pleine mer couleur de vin. Tous ses bons compagnons avaient péri. Le vent et la vague le jetèrent ici. Je l'ai recueilli, nourri, et je pensais le rendre immortel à jamais. Qu'il s'en aille sur la haute mer, si tel est le vouloir de Zeus ; mais je n'ai ni bateau ni rameurs pour le conduire sur le vaste dos de la mer. Je ne peux que lui expliquer sans mentir comment retrouver sain et sauf sa patrie.

Hermès repartit et la Nymphe alla rejoindre Ulysse. Elle le trouva assis sur un promontoire. Ses yeux étaient brûlés de larmes. Il passait sa douce vie à pleurer, tant il aspirait au retour. La Nymphe ne lui plaisait plus guère et s'il passait ses nuits au creux de la grotte, c'était par contrainte ; elle voulait, il ne voulait pas. Mais il passait ses journées assis sur les rochers du rivage, à regarder vers le large en pleurant.

Calypso se tint près de lui et lui dit :

— Malheureux, ne reste plus ici à te lamenter. Je vais te permettre de partir. Il te faut équarrir avec le bronze de longues poutres et fabriquer un large radeau muni d'une haute cabine pour partir sur la mer brumeuse.

J'y placerai des provisions, pain, eau, vin rouge, pour te protéger de la faim. Je te couvrirai de vêtements, je t'enverrai un vent portant, pour que tu rentres sain et sauf dans ta patrie.

Ulysse frissonna et lui répondit :

— Ce n'est pas un voyage que tu médites, déesse, mais une autre fin, si tu veux que je franchisse le gouffre de la mer sur un radeau, alors que les bateaux fins marcheurs ne peuvent le traverser, même si Zeus les gratifie d'un bon vent.

Calypso sourit et lui saisit la main :

— Tu es un bandit et un malin. Je vais jurer par le grand serment des dieux que je ne veux pas ta perte ! Ce que je te conseille, c'est ce que je souhaiterais pour moi, en cas de besoin.

Ils revinrent ensemble à la caverne, déesse et mortel. Ulysse s'assit dans le fauteuil que venait de quitter Hermès. La Nymphe lui servit boisson et nourriture en usage chez les mortels. Quant à elle, elle s'assit en face d'Ulysse et ses servantes lui présentèrent ambroisie et nectar.

— Fils de Laerte, Ulysse l'inventif, ainsi donc tu veux tout de suite rentrer chez toi, dans ta patrie ? Si tu savais tous les malheurs qui t'attendent avant, tu resterais ici, avec moi ! Tu serais immortel, malgré ton désir de revoir ton épouse. Je me flatte pourtant de la valoir largement pour la taille et l'allure, autant qu'une déesse l'emporte sur une mortelle !

— Déesse souveraine, ne te mets pas en colère contre moi ! Je sais bien que Pénélope ne peut rivaliser avec toi, ce n'est qu'une mortelle ; toi tu ne connais ni la mort ni la vieillesse. Pourtant, même ainsi, je n'ai qu'un désir, c'est de rentrer chez moi. Si un dieu fracasse mon bateau sur la mer couleur de vin, je ferai face, j'ai un cœur endurant, dans ma poitrine. J'ai tant souffert, tant eu de peine dans les vagues et la guerre !

Le soleil se coucha, l'obscurité vint. Ils rentrèrent au creux de la grotte profonde et goûtèrent au plaisir de l'amour, couchés l'un près de l'autre.

Quand parut, fraîche éclose, l'Aurore aux doigts de rose, Ulysse revêtit manteau et tunique. La Nymphe s'enveloppa dans un grand voile d'un blanc éclatant, léger et précieux. Elle entoura ses hanches d'une ceinture dorée, plaça une coiffe sur ses cheveux. Elle fournit à Ulysse une grande hache double, en bronze, à deux tranchants, avec un manche d'olivier bien ajusté. Ensuite, elle lui fournit un racloir bien affûté et le conduisit vers le bout de l'île, en une haute futaie remplie de bois mort et bien sec, peupliers, sapins hauts comme le ciel, légers et flottant bien.

Ulysse se mit vite au travail. Il abattit vingt fûts, les

équarrit à la hache, les racla. Calypso apporta les tarières et Ulysse fixa son radeau, avec des chevilles, cabine et bastingage. Ensuite il lui fallut tailler les voiles, ajuster les écoutes. Il poussa alors le radeau à la mer à l'aide de leviers.

Au bout de quatre jours il avait tout fini. Le cinquième jour Calypso plaça à bord une outre de vin noir, une grande outre d'eau et des provisions dans un sac. Elle lui envoya un vent portant, favorable et chaud ; plein de joie, Ulysse déploya les voiles au vent.

En marin expérimenté, Ulysse faisait route tout droit, sans dormir, en fixant les constellations. Le conseil de Calypso était de toujours conserver l'Ourse à main gauche. Au bout de dix-sept jours les montagnes sombres des Phéaciens apparurent, comme un bouclier sur la mer brumeuse.

Mais voici que Poséidon, le puissant Ébranleur du sol, revenait du pays des Éthiopiens et contemplait la mer. Il aperçut Ulysse et, secouant la tête, entra dans une grande colère :

— Quoi, voilà que les dieux ont changé d'avis en mon absence. Il est tout près du pays des Phéaciens maintenant, mais à mon avis, il va encore avoir sa part de malheurs !

Il dit et rassembla les nuages, souleva la mer, le trident en main, déchaîna les ouragans de tous les vents, couvrit terre et mer sous les nuages ; la nuit descendit du ciel. Ensemble les vents d'est, du sud, d'ouest et du nord s'abattaient. Ulysse sentit son cœur s'arrêter et se dérober ses genoux :

— Hélas, malheur sur moi, voici le coup le plus terrible ! J'ai bien peur que la déesse n'ait eu raison, tout se réalise. Comme Zeus couvre le vaste ciel de nuages ! C'est sûr, voici pour moi le gouffre de la mort, trois et quatre fois heureux les Achéens qui sont morts jadis dans la vaste Troade ! J'aurais dû mourir le jour où les Troyens déversaient sur moi leurs javelines de bronze, à côté du corps d'Achille. J'aurais eu les honneurs funèbres et les Achéens auraient célébré ma gloire !

Il n'avait pas plus tôt parlé qu'une énorme vague déferla sur lui. Le radeau se retourna. Il tomba à la mer, la barre lui échappa. Le mât se brisa en son milieu sous un coup de vent tourbillonnant qui emporta voile et vergue. Ulysse coula sans pouvoir remonter à la surface, sous le choc des vagues. Ses vêtements l'alourdissaient. Au bout d'un certain temps, il réapparut, crachant le sel amer qui jaillissait de sa bouche.

Mais il n'avait qu'une idée, le radeau. Il s'y cramponna, au milieu des vagues. Les vents jouaient avec le radeau, comme un paquet de chardons au souffle du vent du nord. Le vent du sud le passait au vent du nord, le vent d'est le cédait au vent d'ouest. Mais Ino, déesse de la mer, l'aperçut et le prit en pitié. Sous la forme d'une mouette, d'un coup d'aile elle jaillit de la mer et se posa sur le radeau :

— Malheureux, pourquoi Poséidon déchaîne-t-il sa colère contre toi ? Quitte tes vêtements, laisse les vents emporter le radeau, abandonne-le et gagne à la nage la terre des Phéaciens ; étends sur ta poitrine ce voile divin, ne crains ni douleur ni mort. Mais lorsque tes mains toucheront la rive, détache-le, jette-le à la mer, détourne-toi de lui.

Sur ces mots, elle lui donna le voile et replongea dans les vagues de la mer, comme une mouette, et la vague noire l'engloutit. Ulysse ne voulut pas la croire et se cramponna au radeau. Il ne le lâcherait que lorsque la mer briserait l'embarcation. Mais Poséidon déchaîna contre lui une vague énorme qui déferla sur lui. Comme paille au vent, les longues poutres se dispersèrent de tous côtés. Ulysse grimpa sur une poutre comme sur un cheval de selle, déplia le voile et plongea dans la mer ; tendant les bras, il se mit à nager vers la terre.

Deux jours et deux nuits il fut ballotté sur la houle. Mais quand l'Aurore aux belles boucles ramena le troisième jour, le vent tomba, un calme plat s'installa. Ulysse vit la terre toute proche et se réjouit de voir la terre et les bois ; il redoubla d'efforts et n'était plus qu'à une portée de voix quand il entendit le bruit des rouleaux qui se brisaient contre les roches. Tout était recouvert d'écume, aucun port, aucun abri, mais des pointes, des récifs.

— Malheur, s'exclama Ulysse, Zeus me donne à voir la terre, je franchis le gouffre de la mer et pas un endroit où prendre pied ! Partout des rochers pointus, les vagues grondent autour ; une falaise d'un côté et de l'autre les gouffres de la mer. Peut-être qu'un dieu va faire surgir de la mer un monstre gigantesque, un de ceux qu'élève Amphitrite.

Une forte vague le jeta alors contre une pointe raboteuse. Il se serait déchiré la peau, il se serait rompu les os si Athéna ne lui avait donné l'idée de se cramponner des deux mains, d'un seul bond, à la pierre. Il laissa passer la grande vague mais le reflux l'emporta, comme une pieuvre arrachée à son repaire, des graviers collés aux mains. Il se mit alors à nager le long de la côte, regardant s'il trouverait une plage. Or, il arriva à l'embouchure d'une belle rivière, sans rochers, sans vent. Il pria en son âme :

— Écoute-moi, Seigneur, qui que tu sois ! Même les Immortels ont pitié d'un pauvre errant comme moi. Je te supplie, Seigneur, aie pitié de moi.

Le fleuve aussitôt arrêta son cours, bloqua la vague et aplanit son flot. Ulysse arriva sur la grève. Ses genoux et ses bras puissants fléchirent. Sa peau était gonflée, l'eau de mer ruisselait de sa bouche et de ses narines. Il avait perdu le souffle et la voix. Une fatigue horrible l'envahit. Mais il reprit haleine et détacha le voile divin, le flot l'emporta au large et Ino le reçut entre ses bras.

Ulysse s'éloigna du fleuve, se coucha dans les roseaux et embrassa la terre porteuse de blé. Il réfléchit et estima que le meilleur parti était d'aller se cacher dans le bois non loin de l'eau ; il y avait là un berceau formé par un olivier greffé et un olivier sauvage qui ne laissaient passer ni le vent ni la pluie, tant leurs branches étaient entrelacées. Ulysse s'y glissa et se fit un lit de l'épaisse couche de feuilles qu'il trouva. Elle était suffisante pour protéger deux ou trois hommes, même au cœur de l'hiver. Ulysse se coucha au milieu et se recouvrit d'une couverture de feuilles.

Comme au fin fond de la campagne où l'on est sans voisins, quand on recouvre la braise de cendre noire pour conserver le feu, c'est ainsi qu'Ulysse était recouvert de feuilles. Athéna versa sur ses yeux le sommeil et, pour le délivrer de son épouvantable fatigue, ferma doucement ses paupières.

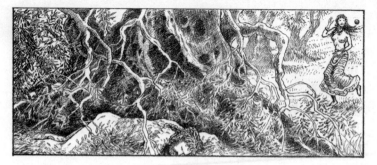

En piteux état, Ulysse rencontre Nausicaa

L'endurant Ulysse dormait là-bas, accablé de sommeil et de fatigue. Alors Athéna s'en fut vers le pays et la cité des Phéaciens. Alcinoos, inspiré par les dieux, était leur roi.

La déesse aux yeux d'aigue-marine, Athéna, se dirigea vers le palais et la chambre bien ouvragée où dormait, pareille aux déesses pour la taille et la beauté, Nausicaa, la fille du grand Alcinoos. Comme le souffle d'une brise, Athéna glissa jusqu'au lit de la jeune fille, semblable à la fille de Dymas, un illustre marin. Elle avait le même âge qu'elle et l'aimait tendrement :

— Nausicaa, tant d'étoffes luisantes laissées sans soin ! Ton mariage est proche, il faut que tu aies de beaux habits et que tu en offres à ceux qui te feront escorte. Dès l'aurore réveille ton illustre père, demande-lui de harnacher les mules et de préparer le chariot pour emporter aux lavoirs ceintures, voiles, draps luisants. C'est mieux que d'y aller à pied, les lavoirs sont loin de la cité.

Sur ces mots, Athéna disparut et regagna l'Olympe. Dès que l'Aurore au trône d'or survint, elle réveilla Nausicaa aux beaux voiles. Encore étonnée de son rêve, elle se leva et chercha son père et sa mère dans la maison. Sa mère était assise près du foyer avec ses servantes, tournant son fuseau teint en pourpre marine. Son père allait sortir. Nausicaa l'arrêta :

— Mon papa, ne veux-tu pas me faire préparer un haut chariot avec de bonnes roues pour que j'aille laver le linge au fleuve ? Il est tout sale. Tu aimes bien, quand tu es avec les notables au conseil, avoir de beaux habits sur toi. Tu as cinq fils au palais, deux mariés et trois autres bien plantés qui sont célibataires. Ils veulent toujours avoir du linge propre quand ils vont au bal.

Elle ne voulait pas parler à son père de son beau mariage, mais il comprit et répondit :

— Je ne te refuserai ni mules ni rien d'autre, mon petit. Va, les serviteurs vont préparer la voiture.

Alcinoos appela les serviteurs. Ils accoururent ; les uns fixèrent les roues au chariot, amenèrent les mules et les mirent sous le joug. La jeune fille apporta de la chambre le linge aux reflets brillants et le plaça dans la voiture aux panneaux polis. Sa mère mit dans le panier toutes sortes de provisions, versa le vin dans une outre en peau de chèvre. La jeune fille monta en voiture. Sa mère lui donna dans un flacon d'or une huile légère pour s'en frotter, elle et ses femmes. Elle prit les rênes luisantes et fit claquer le fouet. Les sabots des deux mules sonnèrent, elles tendirent les traits, emportant linge et Nausicaa.

Quand on atteignit le beau cours du fleuve et les lavoirs intarissables, on détela les mules de la voiture et on les lâcha le long des tourbillons du fleuve, à paître l'herbe aux senteurs de miel. Les femmes, elles, déchargèrent le linge de la voiture et le transportèrent dans les creux d'eau noire pour le fouler à qui mieux mieux. Une fois lavé tout ce linge sale, on l'étendit tout au long sur la plage sur les graviers qu'avait nettoyés la mer. Les jeunes filles se baignèrent et se frottèrent d'huile. Puis elles déjeunèrent près du fleuve, en laissant sécher le linge aux rayons du soleil.

Quand Nausicaa et les suivantes eurent assez mangé, elles détachèrent leur coiffe pour jouer au ballon. Nausicaa aux bras blancs menait le jeu, semblable à Artémis, déesse à l'arc, quand elle parcourt les montagnes au milieu des sangliers et des biches rapides, accompagnée des Nymphes, filles de Zeus, qui jouent avec elle. Nausicaa elle aussi, jeune fille encore libre, resplendissait au milieu de ses suivantes.

Mais quand ce fut l'heure de rentrer à la maison, d'atteler les mules, de plier le linge, Athéna, la déesse aux yeux d'aigue-marine, décida qu'Ulysse allait se réveiller et voir la jeune fille aux beaux yeux. La jeune princesse venait justement de lancer la balle à une suivante, mais elle la manqua et la balle tomba dans le creux d'un tourbillon. Les cris que poussèrent alors les jeunes filles réveillèrent Ulysse qui s'assit et demeura incertain :

— Hélas, en quelle terre ai-je donc abordé ? Chez des brutes sauvages et sans civilisation ou chez des gens qui respectent l'hospitalité et les dieux ? Il me semble entendre la voix de jeunes filles, celle de Nymphes, maîtresses des hautes cimes des montagnes, maîtresses des sources, des riches prairies. Ou suis-je chez des humains ? Je vais voir par moi-même.

Sur ces mots, Ulysse sortit des buissons. Il avait cassé, dans ce bois touffu, une branche bien feuillue pour cacher sa virilité. Il sortit comme un lion de montagne, sûr de sa vigueur, qui va dans la pluie et le vent, les yeux étincelants, attaquer cerfs sauvages, bœufs, moutons, poussé par son ventre à pénétrer jusque dans les parcs à bestiaux. Tel apparut Ulysse aux yeux de ces jeunes filles aux belles boucles, mais il était tout nu ; il n'y pouvait rien. Quand elles aperçurent le spectacle affreux de cet homme tout abîmé par le sel de mer, elles eurent si peur qu'elles s'éparpillèrent jusqu'aux pointes de la grève. Seule la fille d'Alcinoos resta. Athéna lui avait donné le courage et avait retiré toute peur de ses membres ; elle fit face. Ulysse réfléchit : allait-il saisir les genoux de la jeune fille aux grands yeux, pour la supplier, ou de loin lui adresser des compliments doux comme le miel ? Ce dernier parti lui parut le meilleur. Il avait peur de mettre la jeune fille en colère, s'il lui prenait les genoux :

— Je suis à tes genoux, Maîtresse ; es-tu une déesse ou une mortelle ? Si tu es l'un des dieux maîtres du vaste ciel, c'est à Artémis, fille du grand Zeus, que tu ressembles le plus, pour la beauté, la taille et l'allure. Si tu es une mortelle, habitante de la terre, trois fois heureux ton père et ta respectable mère, trois fois heureux tes frères ! Leur cœur doit bondir de plaisir, quand ils voient une aussi belle plante entrer dans le bal. Mais le plus heureux de tous, c'est celui qui t'emmènera comme épouse chez lui, grâce au poids de ses présents ! Je n'ai jamais vu, de mes yeux vu, d'humain aussi beau, homme ou femme ; je suis pétrifié, quand je te contemple. Un jour j'ai vu à Délos, près de l'autel d'Apollon, une jeune pousse de palmier qui s'élançait vers le ciel. Elle te ressemblait. Je suis resté saisi de stupeur à la voir, pétrifié sur place, un bon moment, car jamais encore un tel tronc n'avait jailli du sol ; ainsi, à te voir, jeune fille, je suis pétrifié de plaisir. Mais j'ai horriblement peur de te prendre les genoux. Un malheur affreux m'accable. Hier au bout de dix-neuf jours j'ai échappé à la mer. Pendant tout ce temps, la vague et la tempête m'éloignaient de l'île de Calypso. Un dieu m'a jeté ici pour que je souffre encore. Je ne crois pas que cela puisse s'arrêter un jour ; aie pitié de moi, Maîtresse ; c'est toi que je rencontre en premier après tant d'épreuves, je ne connais personne d'autre parmi les gens qui occupent cette cité et ce pays. Montre-moi la ville, donne-moi un lambeau d'étoffe pour me couvrir. Que les dieux en échange t'accordent tout ce que tu peux souhaiter, un mari, une maison, un foyer harmonieux.

Nausicaa aux bras blancs lui dit en face :

— Étranger, tu n'as l'air ni d'un pauvre ni d'un fou. C'est Zeus l'Olympien qui distribue le bonheur, aux pauvres et aux nobles, à qui il veut. Le sort qu'il t'a attribué, il te faut le supporter. Mais puisque tu es arrivé dans notre cité, notre pays, tu ne manqueras ni de vêtements ni de rien d'autre, que l'on doit au malheureux suppliant qui vient vous trouver. Je vais te montrer le chemin de notre ville, je vais te dire le nom de notre peuple nous sommes les Phéaciens, je suis la fille du grand Alcinoos dont le pouvoir gouverne ce peuple.

Et à ses suivantes aux belles boucles elle ordonna :

— Halte, suivantes ! Où la vue d'un homme vous fait-elle fuir ? Avez-vous peur que ce soit un ennemi ? Il n'est pas, il n'existera jamais d'homme capable d'apporter la mort au pays des Phéaciens. Nous sommes protégés par les dieux et nous habitons à l'écart, au milieu des flots de la mer, au bout du monde ; personne pour nous rendre visite. Cet homme n'est qu'un pauvre vagabond, il faut s'en occuper. Tous les étrangers nous viennent de Zeus. Notre présent est mince, mais donné de bon cœur. Passez-lui un manteau bien lavé et une tunique, baignez-le dans le fleuve, dans la crique à l'abri du vent.

Les filles exécutent ses ordres, lui préparent manteau, tunique et vêtements, une huile légère dans un flacon en or et l'invitent à se laver dans le courant du fleuve. Mais Ulysse dit aux suivantes :

— Jeunes filles, restez à l'écart, je vais, tout seul, laver le sel de mes épaules et m'enduire d'huile. Cela fait longtemps que ma peau n'a pas connu de parfum.

Mais je ne veux pas me laver devant vous. J'aurais honte à me mettre nu au milieu de jeunes filles aux belles boucles.

Elles s'éloignèrent pour tout rapporter à Nausicaa. Ulysse, quant à lui, purifia son corps au fleuve et le lava de tout le sel qui couvrait son dos et ses larges épaules, essuyant toute trace d'eau de mer de sa tête. Une fois lavé et bien frotté d'huile, il revêtit les vêtements que la jeune vierge lui avait donnés. Alors Athéna, fille de Zeus, le rendit plus grand et plus large, déroula sa chevelure en boucles semblables à la fleur d'hyacinthe. Il revint s'asseoir à l'écart, sur la plage, éclatant de beauté et de grâce. La jeune princesse le contemplait :

— Écoutez ce que je vais vous dire, suivantes aux bras blancs : ce n'est pas contre la volonté de tous les dieux, maîtres de l'Olympe, que cet homme est venu trouver les Phéaciens rivaux des Immortels. Avant, il me paraissait quelconque, maintenant il ressemble aux dieux. Si un homme tel que lui pouvait être appelé mon mari, s'il habitait ici, s'il voulait rester ici !... Allons, les filles, donnez à cet étranger à manger et à boire.

Elles exécutent les ordres de Nausicaa, placent auprès d'Ulysse nourriture et boisson. Le divin Ulysse buvait et mangeait avec avidité : il était resté si longtemps affamé ! Puis Nausicaa fait plier et charger le linge ; on attelle les mules aux sabots massifs, elle grimpe dans la voiture et s'adresse à Ulysse :

— Debout, étranger, partons pour la cité, afin que je te conduise à la maison de mon père, où tu pourras rencontrer l'élite des Phéaciens. Voici ce que nous allons faire : tant que nous irons par les champs et les cultures, double le pas pour suivre, avec les filles, les mules et le chariot ; moi je guiderai. Et bientôt nous arriverons près de la cité, avec son haut mur d'enceinte, ses deux ports magnifiques sur chaque flanc de la cité et leurs passes étroites ; les bateaux à double étrave sont tirés dans leur cale, chacun sous un hangar. Au milieu de l'agora en pierres de taille ajustées, tu verras le sanctuaire de Poséidon. C'est près de là que l'on entrepose les gréements des bateaux à coque noire, les câbles, les cordages et que l'on polit les rames. Les Phéaciens ne se soucient ni de l'arc ni du carquois, mais des mâts, des bateaux équilibrés qui font traverser la mer blanche d'écume, avec panache. Or, je veux éviter leurs railleries, je crains que, par-derrière, on ne jase — il y a bien des mauvaises langues dans le pays — et que l'on ne dise, en nous rencontrant : « Quel est donc cet étranger qui suit Nausicaa, il est beau et grand, où l'a-t-elle déniché ? Est-ce son futur mari ou bien un naufragé venu de bien loin ? Car nous n'avons pas de voisins. Est-ce ce dieu qu'elle a tant prié et qui est descendu du ciel ? Mieux encore, c'est elle qui est partie se chercher un mari ailleurs. Elle n'a que mépris pour les Phéaciens dont les meilleurs lui font la cour. » C'est ainsi que l'on jasera et ce sera une honte pour moi. Moi aussi, je critiquerais une autre qui agirait ainsi ; qui, contre l'avis de ses parents, irait fréquenter les hommes avant son splendide mariage. Suis mon conseil et mon père t'accordera une escorte pour ton retour. Près du chemin nous trouverons un bois de peupliers, sanctuaire d'Athéna ; une source y coule, une prairie l'entoure. Mon père y a un domaine et une vigne en pleine vigueur. C'est à portée de voix de la ville. Assieds-toi là le temps que nous traversions la ville et que nous parvenions à la maison de mon père. Quand tu supposeras que nous sommes arrivées, dirige-toi vers la cité et interroge les gens sur le chemin de la maison d'Alcinoos. Elle est bien connue, même un petit enfant pourrait t'y conduire. Dès que tu auras pénétré dans la maison et la cour, va droit à la salle trouver ma mère. Elle est assise près du foyer, dans la lueur du feu, adossée à une colonne, tournant sa quenouille de pourpre de mer. À côté d'elle, dans la lumière, est appuyé le fauteuil de mon père. Bien carré dedans, il boit son vin comme un

Immortel. Contourne-le et va embrasser les genoux de ma mère, pour obtenir le jour du Retour. Car si elle a de la sympathie pour toi, il y a bon espoir que tu revoies ta famille et ta maison.

Sur ces mots, elle fit claquer son fouet sur les mules. L'attelage laissa rapidement la vallée du fleuve, par moments galopant, par moments au grand trot. Nausicaa usait des rênes pour permettre aux piétons de la suivre et n'utilisait le fouet qu'à bon escient.

Au coucher du soleil, on arriva au fameux bois sacré d'Athéna ; Ulysse s'y arrêta et adressa une prière à la fille du grand Zeus :

— Écoute-moi, fille de Zeus qui tient l'égide, entends-moi, puisque avant, au moment du naufrage, quand Poséidon brisait mon bateau, tu ne m'as pas entendu. Accorde-moi d'être accueilli avec amitié et pitié par les Phéaciens !

Pallas Athéna l'entendit, mais ne lui apparut pas : elle avait du respect pour Poséidon qui était son oncle et dont la colère poursuivait Ulysse.

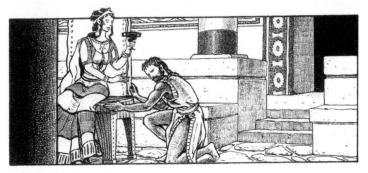

AU PALAIS D'ALCINOOS, ROI DES PHÉACIENS

Tandis que le divin Ulysse au cœur patient priait ainsi, l'élan des mules avait porté la jeune fille à la ville. Une fois arrivée au splendide palais de son père, Nausicaa s'arrêta sous le porche ; ses frères l'entourèrent, pareils à des dieux ; ils dételèrent les mules et transportèrent le linge à l'intérieur. Nausicaa, elle, alla directement à sa chambre. Sa vieille servante y entretenait le feu.

Les bateaux à double étrave l'avaient capturée en Épire ; Alcinoos l'avait obtenue comme part d'honneur parce qu'il était le suzerain de tous les Phéaciens et que son peuple lui accordait des égards divins. C'était elle qui avait élevé Nausicaa aux bras blancs. Elle relança le feu et servit le repas dans la chambre. À ce moment-là, Ulysse se leva pour partir. Athéna, dans son souci pour lui, l'enveloppa d'un épais brouillard, pour éviter que l'un de ces Phéaciens orgueilleux, venant à le rencontrer, ne le raillât et ne lui demandât qui il était.

Comme il allait pénétrer dans cette aimable cité, la déesse aux yeux d'aigue-marine vint à sa rencontre, sous l'apparence d'une adolescente portant une cruche. Elle s'arrêta devant lui et le divin Ulysse la questionna :

— Mon petit, ne pourrais-tu me conduire à la maison du héros Alcinoos qui règne sur ce peuple ? Moi, je suis un malheureux étranger, je viens d'arriver ici, depuis le bout de la terre ; je ne connais personne parmi les habitants de ce pays.

Athéna lui répondit :

— Eh bien ! père étranger, je vais te montrer la maison que tu cherches, car mon père habite tout à côté. Mais viens sans rien dire, je vais te guider sur le chemin. Ne lève les yeux sur personne, ne demande rien ; les gens d'ici supportent mal les étrangers. Ils n'ont confiance que dans leurs bateaux rapides qui sillonnent le gouffre de la mer ; c'est le domaine que nous a accordé Poséidon. Nos bateaux sont aussi rapides que l'aile ou la pensée.

Sur ces mots, Pallas Athéna le guida, rapidement ; il mettait ses pas dans les traces de la déesse. Les Phéaciens, fins marins, ne l'aperçurent pas tandis qu'il marchait au milieu d'eux dans la ville ; Athéna aux belles boucles ne le leur permettait pas. Ulysse admirait les ports et les bateaux équilibrés, les agoras de ces héros et la haute enceinte hérissée de pieux.

Comme ils avaient atteint le palais du roi, Athéna déclara :

— Voici donc, père étranger, la demeure que tu cherches ; tu vas y trouver notre noblesse en train de banqueter ; entre et ne crains rien en ton cœur. Un homme hardi en vaut deux, même s'il vient d'ailleurs. Va trouver d'abord la maîtresse dans la grand-salle. Arété est son nom. C'est la nièce d'Alcinoos ; il l'a prise pour femme et l'honore comme aucune autre femme au monde. Elle possède le cœur de ses enfants, celui d'Alcinoos et celui du peuple qui l'accueille comme une déesse quand elle passe dans la ville. Elle ne manque ni d'intelligence ni de noblesse, aussi, quand les gens sont de bonne volonté, elle apaise les litiges, même entre héros. Si elle éprouve de la sympathie pour toi, tu peux avoir bon espoir de revoir les tiens, de revenir dans ta patrie et de revoir ta haute maison.

Sur ces mots Athéna disparut vers la haute mer, abandonnant l'aimable Schérie, patrie des Phéaciens.

Quant à Ulysse, il se dirigea vers le palais fameux d'Alcinoos. Il s'arrêta, le cœur plein de pensées, devant le seuil de bronze. Il y avait comme une lueur de soleil et de lune dans la haute maison du grand Alcinoos ; des plaques de bronze couvraient les deux parois, du seuil jusqu'au fond, couronnées d'émail bleu foncé. Une porte solide fermait le palais. Les montants étaient d'argent, d'argent encore le linteau, d'or la poignée. Des deux côtés de la porte étaient couchés deux chiens d'or et d'argent, qu'Héphaïstos avait fabriqués avec toute sa science, comme chiens de garde de la maison d'Alcinoos, gardiens insensibles au temps.

Des fauteuils étaient appuyés le long des deux murs, jusqu'au fond de la grand-salle. On les avait couverts de voiles légers finement tissés, œuvre des femmes de la maison. C'est là que les chefs phéaciens étaient assis. Sur des socles de pierres taillées se dressaient des statues de jeunes gens en or, des torches allumées en main, éclairant les convives pendant la nuit.

Il y avait cinquante servantes au logis ; les unes écrasaient le blé couleur de pomme sous la meule ; les autres, assises, tissaient au métier ou tournaient la quenouille en forme de peuplier. Des toiles fines bien tissées s'écoulait l'huile qui les assouplit.

Autant les Phéaciens sont les meilleurs marins du monde, autant leurs femmes sont les meilleures pour le tissage. C'est Athéna qui leur a accordé de savoir exécuter des chefs-d'œuvre avec un talent extraordinaire. En dehors de la cour s'étend un parc de quatre arpents, entouré d'une clôture. De grands arbres en plein rapport y poussent, poiriers, grenadiers, pommiers aux fruits luisants, figuiers pleins de sucre, oliviers luxuriants. Ils portent leurs fruits hiver comme été ; toute l'année, au souffle du vent d'ouest, les uns se forment, tandis que les autres sont déjà à point, la poire mûrit après la poire, la pomme après la pomme, la grappe après la grappe, la figue après la figue. Tout près on a planté une vigne chargée de raisins ; une moitié de la vigne, exposée au soleil, dore à la chaleur, d'autres raisins sont vendangés, le reste est foulé. Mais sur le devant, dans l'autre moitié, les raisins verts laissent à peine tomber leur fleur et commencent à foncer. À côté du dernier rang un potager bien ordonné étend ses cultures diverses qui donnent toute l'année. Deux sources y coulent. L'une irrigue tout le jardin ; l'autre passe sous le seuil de la cour vers le haut palais, où les habitants de la ville viennent puiser. Tels étaient les cadeaux merveilleux que les dieux avaient faits à la maison d'Alcinoos.

Ulysse resta là à admirer ces prodiges. Puis il franchit le seuil et pénétra dans la maison. Il y trouva les chefs et les conseillers phéaciens faisant leur dernière libation à Hermès au regard aiguisé. Ulysse au cœur patient traversa la salle, enveloppé de brouillard par Athéna. Il alla vers Arété et le roi Alcinoos et entoura de ses bras les genoux d'Arété. Le brouillard divin coula à ses pieds. Tous se turent dans la salle, les regards tournés vers lui, et s'étonnaient en le contemplant. Ulysse commença sa supplication :

— Arété, femme respectée du grand Alcinoos, après tant de souffrances, je viens à ton mari, je viens à tes genoux, je viens vers vos invités. Que les dieux leur donnent le bonheur, leur permettent de léguer à leurs enfants leur patrimoine et les parts d'honneur octroyées par le peuple. Accordez-moi une escorte pour rentrer au plus vite dans ma patrie.

Sur ces mots, il s'assit dans la cendre du foyer, à côté du feu. Tous alors demeuraient en silence, sans un mot. Enfin le vieux héros Échénéos prit la parole. C'était l'aîné des Phéaciens. Il excellait en discours et connaissait les traditions anciennes :

— Alcinoos, il n'est ni convenable, ni correct qu'un étranger demeure assis par terre, dans la cendre du foyer. Tous sont en arrêt, attendant que tu parles. Fais lever l'étranger, fais-le asseoir sur un fauteuil clouté d'argent. Ordonne aux hérauts de mélanger le vin pour que nous puissions faire libation à Zeus Ami de la foudre. C'est lui qui escorte les suppliants auxquels on doit le respect. Que l'intendante improvise sur les réserves un repas pour l'étranger.

Quand Alcinoos à la force sainte l'entendit, il prit par la main le sage Ulysse, le fit lever du foyer et l'installa sur un fauteuil aux clous brillants, en faisant lever un de ses fils. Une servante apporta une cuvette et versa l'eau pour lui laver les mains avec une aiguière en or ciselé, au-dessus d'un bassin en argent. On dressa près de lui une table bien raclée, l'intendante apporta le pain et disposa les mets, lui offrant les réserves. Ulysse l'endurant se mit à manger et à boire. Alcinoos ensuite reprit la parole :

— Écoutez-moi, chefs et conseillers des Phéaciens, je vais vous parler comme mon cœur me pousse à le faire. Pour l'instant rentrez vous coucher chez vous. Mais dès l'aurore, en convoquant les anciens en plus grand nombre, nous recevrons officiellement notre hôte dans la salle, nous sacrifierons les victimes consacrées. Ensuite nous réfléchirons aux moyens de lui faire escorte pour que, sous notre conduite, il puisse retrouver sa patrie, au plus vite, pour éloignée qu'elle soit, et qu'au cours du trajet il ne souffre ni douleur ni malheur avant de débarquer dans son pays. Là, il subira la destinée que les fileuses puissantes ont filée pour lui à sa naissance, quand sa mère l'a mis au monde. À moins que ce ne soit un Immortel descendu du ciel et que les dieux n'aient préparé un tout autre projet. Sans cesse, depuis toujours, les dieux nous apparaissent, bien visibles, quand nous accomplissons nos hécatombes illustres ; assis au milieu de nous, ils festoient à l'endroit même où nous sommes. Si même un voyageur seul sur la route rencontre l'un des dieux, ils ne se dérobent pas, car nous sommes tout proches d'eux, comme les Cyclopes et les tribus sauvages des géants.

— Alcinoos, ne te mets pas cette idée en tête. Je ne ressemble pas aux Immortels, Maîtres du vaste ciel, ni pour le corps, ni pour la taille, mais je ressemble aux mortels. Prenez les hommes les plus malheureux du monde, je pourrais rivaliser de souffrances avec eux et même je pourrais raconter encore plus de malheurs, tous ceux que j'ai subis, sous les flèches des dieux. Mais laissez-moi manger, malgré ma peine. Il n'est rien de plus chien que ce ventre lamentable qui nous contraint à ne pas l'oublier, même quand nous sommes accablés de chagrins, la douleur au cœur. Mais vous, je vous le demande, dès l'aurore, permettez à un malheureux de débarquer dans sa patrie ! Que la vie m'abandonne, quand elle m'aura permis de revoir mes serviteurs et ma haute maison !

À ces mots, tous approuvaient et souhaitaient le

retour de l'hôte, car il avait parlé selon les convenances. Quand ils eurent fait libation et bu autant que le souhaitait leur cœur, chacun s'en fut se coucher chez lui.

Le divin Ulysse était resté dans la salle. Alcinoos pareil aux dieux et Arété étaient assis avec lui. Les servantes débarrassaient la vaisselle du repas. Alors Arété aux bras blancs commença à parler, car elle avait reconnu, au premier coup d'œil, le manteau, la tunique et les vêtements fins qu'elle avait elle-même tissés avec ses suivantes. Elle adressa à Ulysse ces paroles, comme des flèches ailées :

— Notre hôte, c'est moi qui vais t'interroger en premier. Qui es-tu, de quel pays viens-tu ? Qui t'a donné ces vêtements ? Ne disais-tu pas que tu étais arrivé ici, en errant sur la mer ?

Ulysse plein de ruse lui répondit :

— Il est difficile, reine, de te raconter d'un seul coup tous mes malheurs, car les dieux du ciel m'en ont accablé. Mais je vais répondre à ta question. Bien loin d'ici, en mer, est une île, demeure de la fille d'Atlas, la perfide Calypso aux belles boucles, terrible déesse. Personne ne la fréquente ni parmi les dieux, ni parmi les mortels. Mais moi, malheureux, un dieu m'a conduit à son foyer, tout seul, car Zeus avait brisé mon bateau rapide d'un coup d'éclair blanc, au milieu de la mer couleur de vin.

Tout mon bon équipage avait péri ; moi j'avais agrippé la quille du bateau à deux étraves et je fus emporté pendant neuf jours. Le dixième, par une nuit noire, les dieux m'ont poussé sur l'île où habite Calypso. Elle m'a accueilli, m'a nourri et m'a promis de me rendre immortel, de me donner l'éternelle jeunesse. Mais jamais elle n'est parvenue à convaincre mon cœur. Je suis resté là sept ans d'affilée, mouillant de larmes les vêtements merveilleux qu'elle m'avait donnés. Mais quand vint la huitième année, alors, elle me poussa à rentrer, soit à la suite d'un message de Zeus, soit que son cœur eût changé. Elle me renvoya sur un radeau aux poutres bien attachées, me fournit en provisions, pain, vin doux, et m'accorda un vent portant. Au bout de dix-sept jours j'aperçus vos montagnes boisées, mais Poséidon déchaîna contre moi les vents et des vagues gigantesques. Le radeau se disloqua et je dus nager jusqu'à votre île. Je trouvai un abri et, quand vint la nuit divine, sous ma couverture de feuilles, j'ai dormi toute la nuit, jusqu'à l'aurore et même jusqu'à midi. Le soleil se couchait et le doux sommeil me quitta. C'est alors que j'ai vu les suivantes de ta fille qui jouaient sur la plage. Elle, elle ressemblait aux Immortelles. Je lui fis supplication et elle me répondit avec noblesse, comme jamais on n'espérerait qu'agirait un être jeune devant quelqu'un de rencontre ; les jeunes gens sont si souvent irréfléchis ! Elle m'a donné du pain en quantité et du vin couleur de feu, m'a fait laver dans le fleuve et m'a procuré des vêtements. Voilà la vérité.

— Mon hôte, dit Alcinoos, vraiment mon enfant n'a pas pris la décision correcte : c'était de te conduire avec ses suivantes chez moi, car c'est elle en premier que tu avais suppliée.

— Héros, ne critique pas ta fille, elle est parfaite, répondit Ulysse ; elle m'a invité à l'accompagner avec les suivantes. C'est moi qui n'ai pas voulu parce que j'avais des craintes, des hésitations : ton cœur n'allait-il pas s'irriter, à ma vue ? Nous sommes, sur terre, nous les humains, trop jaloux les uns des autres.

— Mon hôte, mon cœur dans ma poitrine n'a pas coutume de s'irriter sans motif. Tout ce qui se fait selon les règles est préférable. Si seulement tel que tu es, avec les mêmes idées que moi, tu voulais avoir ma fille, être appelé mon gendre, rester ici ! Je te donnerais une maison et du bien, si seulement tu voulais demeurer ici. Mais aucun Phéacien ne te retiendra contre ton gré. Zeus nous en garde ! Je fixe ton départ, sache-le bien, pour demain. Au moment où, plongé dans le sommeil, tu seras couché, on profitera de la chute du vent pour te reconduire dans ton pays et où tu le désires. Tu te rendras compte de l'excellence de nos bateaux et de nos jeunes gens, quand il s'agit de faire jaillir l'écume sous la rame.

Ulysse se réjouit et éleva sa prière :

— Zeus Père, puisse Alcinoos accomplir tout ce qu'il a promis ! Que sa gloire alors soit immortelle, sur la terre porteuse de blé et que j'atteigne ma patrie !

C'est ainsi qu'ils parlaient entre eux. Pendant ce temps Arété aux bras blancs avait ordonné aux servantes de disposer une couche sous le portique, d'y mettre de jolis draps de pourpre, d'étendre des tapis et des couvertures de haute laine par-dessus. Les servantes sortirent de la salle, torche en main, et s'empressèrent à monter le lit ajusté. Elles revinrent près d'Ulysse et l'invitèrent :

— Viens, notre hôte, ton lit est prêt.

L'idée de s'étendre fut bien agréable au divin Ulysse. Tandis qu'il se couchait sur le lit bien chevillé dans le portique sonore, Alcinoos alla se coucher au fond du haut palais où la reine, son épouse, avait préparé le lit et la couche.

JEUX ET CHANTS DANS LE PALAIS D'ALCINOOS

Quand apparut, fraîche éclose, l'Aurore aux doigts de rose, Alcinoos à la force sainte bondit de son lit. Ulysse preneur de villes se leva aussi, et Alcinoos le guida vers l'agora à côté du port.

Ils s'assirent sur les gradins polis, l'un près de l'autre. Pallas Athéna allait par la ville, semblable au héraut du sage Alcinoos. Elle allait trouver chacun et disait :

— Venez ici, chefs et conseillers des Phéaciens, allez à l'agora pour connaître l'étranger qui vient d'arriver chez Alcinoos, après avoir couru bien des mers. Il a la stature d'un dieu.

En parlant ainsi elle éveillait la curiosité de chacun. Rapidement, l'agora et les gradins se remplirent de monde. Tous regardaient et admiraient le sage fils de

Laerte. Athéna avait versé sur sa tête et ses épaules un charme merveilleux et l'avait rendu plus grand et plus large pour lui gagner la sympathie des Phéaciens, provoquer leur crainte respectueuse, lui permettre d'accomplir des exploits dans les épreuves auxquelles le provoqueraient les Phéaciens. Quand tous furent rassemblés, Alcinoos prit la parole :

— Écoutez-moi, chefs et conseillers des Phéaciens, pour que je vous dise ce que mon cœur me pousse à vous dire. Cet étranger — je ne sais qui il est —, cet errant, est venu chez moi. Vient-il des pays du Levant ou du Couchant ? Il demande une escorte pour son retour et supplie qu'on l'en assure. Nous, selon notre coutume, hâtons son retour. Allons, tirons à la mer divine un de nos bateaux à coque noire, tout neuf ; choisissons cinquante-deux rameurs, les meilleurs. Après avoir bien attaché leur rame à l'anneau, qu'ils débarquent, qu'ils viennent chez nous et apprêtent un repas rapide. Je fournirai tout à suffisance. Voilà mes ordres pour les jeunes gens. Quant à vous, Phéaciens qui portez le sceptre, venez dans ma belle maison pour que nous recevions officiellement l'hôte. Que personne ne refuse ! Convoquez le divin aède, Démodocos, car un dieu lui a donné le don du chant merveilleux pour nous charmer.

Les rois porte-sceptre le suivirent et le héraut alla chercher le divin aède. Les cinquante-deux jeunes gens descendirent sur la grève. Quand ils furent arrivés au bateau et à la mer, ils tirèrent le bateau à coque noire dans un creux d'eau, chargèrent mât et voiles, ajustèrent comme il faut les rames à l'anneau de cuir, déployèrent les voiles blanches. Une fois en eau profonde, ils le mouillèrent au vent puis s'en retournèrent chez Alcinoos.

Les portiques, l'enceinte et toutes les pièces étaient remplis de monde, de jeunes et d'anciens. Alcinoos avait fait sacrifier pour eux douze moutons, huit porcs aux blanches dents, deux bœufs aux sabots qui tournent, déjà écorchés et apprêtés. Le repas était prêt.

Le héraut s'approcha, conduisant l'aède fidèle, aimé de la Muse. Elle lui avait donné un bien et un mal. Elle lui avait pris ses yeux, mais lui avait donné le chant tout de douceur. Pontonoos lui avança un siège clouté d'argent, au milieu des convives, l'appuyant à une haute colonne. Il accrocha la cithare harmonieuse à une cheville au-dessus de la tête de l'aède et lui expliqua comment la saisir avec les mains ; il disposa près de lui une corbeille et une table, une coupe de vin pour y boire quand le cœur lui en dirait. Vers les parts déjà préparées les mains se tendaient.

Quand on eut son content de boisson et de nourriture, la Muse poussa l'aède à chanter les exploits des héros, en choisissant, dans l'épopée dont la renommée alors atteignait le vaste ciel, la Querelle d'Ulysse et d'Achille le Péléide. Le chant racontait comment, dans un festin en l'honneur des dieux, ils s'étaient disputés avec des mots injurieux. Agamemnon, Seigneur des héros, se réjouissait en son for intérieur à voir les meilleurs des Achéens se quereller ; car cela correspondait à la prophétie d'Apollon dans la sainte Delphes. Agamemnon en avait franchi le seuil de pierre pour obtenir un oracle, au moment où la vague du malheur déferlait sur les Troyens et les Achéens, selon le vouloir de Zeus.

Ainsi chantait l'aède, mais Ulysse saisit son grand voile de pourpre dans ses mains puissantes et le tira sur sa tête, cachant son beau visage. Il avait honte de verser des larmes devant les Phéaciens. Quand l'aède divin interrompait son chant, essuyant ses pleurs il rejetait son voile et, saisissant sa coupe à deux anses, il faisait libation aux dieux. Mais quand l'aède reprenait et que les chefs phéaciens le relançaient, pris sous le charme de ses vers, Ulysse se cachait de nouveau la tête et sanglotait.

Personne ne s'aperçut qu'il pleurait, seul Alcinoos

s'en rendit compte et le vit, parce qu'il était assis à côté de lui ; il entendit ses lourds sanglots et dit aussitôt aux Phéaciens, rameurs experts :

— Écoutez-moi, chefs et conseillers phéaciens, maintenant nous sommes rassasiés du repas aux parts égales et de la cithare, compagne des festins réussis ; maintenant sortons et mettons-nous aux Jeux pour que notre hôte, une fois rentré chez lui, puisse dire à ses amis que nous sommes les meilleurs pour la boxe, la lutte, le saut, la course.

Sur ces mots, il montra le chemin, suivi par tous les autres. Le héraut raccrocha à la cheville la cithare harmonieuse, prit Démodocos par la main et le fit sortir de la salle. Il le conduisit par la rue que suivaient les autres Phéaciens, pour assister aux Jeux. Les jeunes gens se levèrent pour concourir, nombreux et forts.

Ce fut d'abord l'épreuve de course à pied. Au signal tous s'envolèrent en soulevant la poussière de la plaine. Ce fut Clytoneus qui remporta la course. Il devançait les autres d'autant de terrain que peuvent en labourer deux mulets ; les autres étaient laissés derrière. Puis ce fut l'épreuve de lutte et Euryale triompha des meilleurs. Amphiale l'emporta au saut et Élatrée au disque ; à la boxe ce fut Laodamas, le vigoureux fils d'Alcinoos. Alors Laodamas s'écria :

— Allons amis, demandons à notre hôte s'il connaît quelque discipline sportive ! Il est bien bâti : des cuisses, des mollets, des bras puissants, une nuque solide et une large poitrine. Il est encore jeune, mais il est brisé par ses malheurs. Je vous dis qu'il n'est rien de pire que la mer pour couler un homme, même le plus vaillant.

Sur ce, Laodamas vint se placer au centre du cercle et interpella Ulysse :

— Viens ici toi aussi, père étranger, t'essayer à l'une des disciplines que tu connais ; il me semble que tu dois bien avoir une spécialité. Il n'y a pas de plus grande gloire pour un héros que ce qu'il réussit avec ses pieds et ses bras. Allons, essaye, dissipe tes soucis ! Ton départ est tout proche ; le bateau a été tiré à la mer, l'équipage est prêt.

— Laodamas, pourquoi vous moquer de moi ? J'ai plus la tête à mes soucis qu'aux Jeux. J'ai tant peiné, tant souffert. Maintenant, au milieu de votre assemblée, je reste assis, ne songeant qu'au retour.

Alors Euryale l'insulta bien en face :

— Tu n'as pas l'air d'un athlète, étranger, mais d'un habitué des bateaux aux rames nombreuses, un capitaine de marine marchande, attentif à la cargaison, surveillant le fret et les gros bénéfices !

Ulysse le regarda de travers :

— Mauvaise parole, étranger ; tu m'as l'air d'un inso-
lent. Les dieux n'accordent pas leurs dons à tous les
héros, ni l'allure, ni l'esprit, ni l'éloquence. Un homme
peut ne posséder qu'une apparence modeste mais la
divinité a donné la beauté à ses discours ; sous le
charme, tous ont le regard rivé sur lui. Il parle avec
assurance et une réserve pleine de douceur, et cela le
distingue dans une foule. Quand il va par la ville on
l'admire comme un dieu. Un autre, en revanche, possède une beauté qui l'égale aux dieux, mais ses propos
sont sans aucun talent. Toi, de même, tu es d'une beauté
hors de pair, comme si un dieu t'avait façonné. Mais ton
esprit est creux. Tu m'as fait bondir le cœur dans la
poitrine, avec tes propos grossiers. Je ne suis pas un
novice aux Jeux, comme tu le crois. Je pense même
avoir fait partie des champions, tant que je pouvais
compter sur ma jeunesse et mes bras. Maintenant je suis
accablé par le malheur et la peine, battu par la guerre et
par les vagues. Mais même ainsi je vais tenter ma
chance, car tu m'as mordu au cœur, tu m'as provoqué.

Sur ces mots, il bondit sans quitter son manteau,
saisit un disque plus grand et bien plus lourd que celui
dont se servaient les Phéaciens pour concourir.
L'ayant fait tourner il le jeta d'un bras puissant. La

pierre ronfla et tous les Phéaciens baissèrent la tête, bons rameurs et marins illustres, sous l'élan de la pierre. Le disque survola toutes les marques d'un vol rapide. Athéna, sous les traits d'un arbitre, plaça la marque et s'écria :

— Même un aveugle, au palper, distinguerait ta marque, notre hôte, car elle n'est pas mêlée aux autres. Elle est loin devant. Félicitations pour cette épreuve ! Personne parmi les Phéaciens n'atteindra ni ne dépassera ta marque !

— Essayez donc de l'atteindre, jeunes gens, s'écria Ulysse, dans un instant je pense en lancer un aussi loin ou encore plus long. Mais que l'on me défie pour les autres épreuves, car vous m'avez mis en colère. Boxe, lutte, course, je ne refuse aucun concurrent, sauf Laodamas, c'est mon hôte ; qui voudrait lutter contre un ami ? Mais pour le reste, je ne suis pas mauvais, dans les Jeux des héros. Je sais bien manier l'arc poli, je peux atteindre le premier ma cible dans les rangs ennemis, quand bien même la foule de ses compagnons viendrait lui faire rempart et nous criblerait de flèches. Quant à la javeline, je la lance plus loin qu'un autre ne tire sa flèche. Il n'y a que la course où je crains qu'un des Phéaciens ne me dépasse. J'ai été trop battu par la houle, et les bateaux ont brisé mes membres.

Tous demeuraient sans parole. Seul Alcinoos lui répondit :

— Mon hôte, tu as raison ; tu veux montrer ta valeur parce que tu es irrité que quelqu'un t'ait insulté, sur le terrain d'épreuves, comme aucun homme de bon sens n'aurait osé le faire. Mais écoute-moi, pour qu'une fois revenu dans ta maison tu puisses, festoyant près de ta femme et de tes enfants, faire à un invité le récit de notre vaillance, dire quelles activités Zeus nous réserve, depuis l'époque de nos ancêtres. Nous ne sommes pas très bons boxeurs ni lutteurs, mais nous courons vite et nous sommes les meilleurs marins qui soient. Notre fort, ce sont les banquets, la cithare et le bal, les beaux vêtements, les bains chauds et le lit. Allons, vous, les meilleurs danseurs, entrez dans la danse pour que l'hôte, une fois de retour chez lui, raconte à quel point nous sommes hors de pair, pour la marine, la course, la danse et le chant. Que l'on rapporte vite sa cithare harmonieuse à Démodocos.

Ainsi parla Alcinoos à l'allure divine. Le héraut bondit pour rapporter la cithare. On choisit dans le peuple neuf juges qui organisèrent tout sur le terrain, aplanirent le sol et le rendirent impeccable. Le héraut remit la cithare à Démodocos qui s'avança au centre. Autour de lui se tenaient les tout jeunes gens, qui cadençaient la danse divine. Ulysse était ébloui par leurs pas admirables.

Démodocos s'accompagnant à la cithare se mit à chanter, à voix juste, les amours d'Arès et d'Aphrodite au beau diadème.

Le chant du glorieux aède réjouit Ulysse et les Phéaciens bons rameurs. Alcinoos alors demanda à deux de ses fils de danser en duo, sans concurrents. Ils saisirent une jolie balle de pourpre ; le premier la lançait jusqu'aux nuages, en se cambrant en arrière ; le second, sautant en l'air, la cueillait au vol, avant de toucher le sol des pieds. Ensuite ils dansèrent en se succédant à toute vitesse. Les autres jeunes gens marquaient le rythme autour de la piste, à grand bruit. Ulysse félicita Alcinoos qui répondit :

— Écoutez-moi, chefs et conseillers des Phéaciens ! Notre hôte me paraît très avisé. Offrons-lui les cadeaux d'hospitalité, selon la coutume ! Il y a douze princes dans notre peuple et je suis le treizième. Que chacun lui donne un manteau lavé de neuf, une tunique, un talent d'or précieux. Pour s'excuser, qu'Euryale l'apaise avec des paroles et un cadeau.

Euryale s'exécuta et offrit une belle épée, toute en bronze, avec une poignée en argent et un fourreau d'ivoire.

Le soleil se coucha ; les présents étaient là, apportés par les hérauts à la maison d'Alcinoos. Ce dernier s'adressa à son épouse :

— Allons, femme, apporte le plus beau de nos coffres, le meilleur. Places-y un manteau lavé de neuf et une tunique. Installez sur le feu un chaudron de bronze, faites chauffer l'eau pour que notre hôte se baigne et, après avoir contemplé tous ces cadeaux, se laisse aller au plaisir du festin et du chant. Moi, je lui fais cadeau de ma coupe en or, pour qu'il se souvienne de moi quand il fera libation aux dieux.

Après avoir placé tous les cadeaux magnifiques dans le beau coffre, Arété invita Ulysse à le fermer d'un nœud secret. Ulysse ajusta le couvercle et le lia avec un nœud savant que lui avait appris autrefois la puissante Circé. L'intendante le conduisit à la baignoire et il se réjouit à l'idée de prendre un bain chaud car il ne s'était guère occupé de sa toilette depuis qu'il avait quitté la demeure de Calypso. Là-bas il était toujours soigné comme un dieu.

Une fois sorti de la baignoire et habillé, il allait retrouver les convives quand Nausicaa, parée d'une beauté divine, se dressa dans l'embrasure de la porte. Elle jeta les yeux sur Ulysse et l'admira :

— Salut, notre hôte ! Même quand tu seras dans ta

patrie, souviens-toi de moi car c'est à moi d'abord que tu dois la rançon de ta vie.

— Nausicaa, fille du grand Alcinoos, que Zeus, l'époux tonnant d'Héra, m'accorde de revenir chez moi! Alors, une fois là-bas, je t'adresserai chaque jour des prières, comme à une déesse. Car tu m'as sauvé la vie, jeune fille.

Puis il gagna le festin. Le héraut ramena Démodocos, honoré par le peuple, au milieu des convives. Alors Ulysse, taillant un filet dans une échine de porc un morceau bien gras, appela le héraut :

— Tiens, héraut, porte cette viande à Démodocos, pour qu'il la mange ; je le salue, malgré mon chagrin. Car les aèdes méritent estime et respect de la part de tous les hommes, c'est la Muse qui leur a appris leurs chants et elle protège la race des aèdes.

Quand on eut son content de boisson et de nourriture, Ulysse plein de ruse s'adressa à l'aède :

— Démodocos, je te loue entre tous les mortels car c'est la Muse qui t'a instruit, ou encore Apollon. Tu chantes tout à fait comme il faut le sort funeste des Achéens ; ou bien tu y étais ou bien tu l'as appris d'un autre. Alors chante-nous le cheval de bois, celui qu'Ulysse a fait pénétrer par ruse dans la cité, rempli de héros qui pillèrent Ilios. Si tu chantes tout cela point par point, j'irai dire partout que c'est un dieu qui t'a fait don de ton chant merveilleux.

L'aède alors préluda par un hymne en l'honneur du dieu puis prit le récit au moment où les Achéens, sur leurs bateaux bien pontés, s'étaient embarqués et s'éloignaient. Mais leurs chefs étaient à Troie, cachés dans le cheval que les Troyens eux-mêmes avaient tiré sur l'acropole. Il chanta ensuite comment les chefs achéens, jaillis du cheval, avaient pillé la ville, comment chacun avait saccagé son quartier, comment Ulysse semblable à Arès avait accompagné Ménélas à la maison de Déiphobe et, après l'avoir affronté en un combat mortel, avait obtenu la victoire.

Ainsi chantait l'illustre aède, mais Ulysse fondait en pleurs, les larmes coulaient sur ses joues. Comme pleure une femme, jetée sur son mari, tombé devant sa cité et son peuple pour protéger sa ville et ses enfants ; elle le voit qui agonise, qui se débat ; jetée sur lui elle hurle. C'est ainsi qu'Ulysse versait des larmes de pitié.

Personne ne s'aperçut qu'il pleurait, seul Alcinoos s'en rendit compte :

— Arrête, Démodocos, ta cithare harmonieuse, car ton chant ne plaît pas à tout le monde : depuis le début du repas, depuis que le divin aède a commencé, notre hôte ne cesse de pleurer amèrement. Alors arrêtons, pour que tous nous ayons même plaisir, ceux qui reçoivent et celui qui est reçu, c'est bien mieux ainsi. Mais toi, ne nous cache rien, dis-nous ton nom, celui de tes parents, celui des habitants de ta ville et de ton territoire. Dis-moi ton pays, ta cité, ton peuple. Mon père m'a appris jadis que Poséidon nous en voudrait parce que nous sommes des passeurs infaillibles. Il ferait sombrer l'un de nos bateaux et ensevelirait notre cité sous une haute falaise. Qui vivra verra. Mais dis-moi en détail, avec franchise, où t'ont porté tes aventures, en quels pays tu as abordé, quels hommes, quelles cités bien peuplées tu as visités. Dis-nous pourquoi tu pleures quand tu entends chanter les malheurs des Achéens et d'Ilios. Ce sont les dieux qui les ont façonnés, ils ont filé la mort pour les hommes, pour que les générations à venir en fassent un chant. As-tu perdu un parent devant Ilios, un gendre, un beau-père, ou un ami très cher ? Car un ami aux pensées avisées vaut tout autant qu'un frère.

LE RÉCIT D'ULYSSE : LES LOTOPHAGES ET LE CYCLOPE

Ulysse l'homme de ruse lui répondit :

— Puissant Alcinoos, honneur de ton peuple, il est vraiment agréable d'écouter un aède tel que le tien, dont la voix rivalise avec celle des dieux. Il n'est pas de bonheur plus grand que celui de voir la concorde régner dans tout un peuple, quand les convives installés dans la maison, écoutent l'aède. À côté d'eux les tables sont pleines de pain et de viandes, un échanson verse à boire en puisant au cratère. Voilà, à mes yeux, le plus doux des spectacles. Mais ton cœur te pousse à savoir pourquoi je verse des pleurs. Par où commencer, par où finir ? Je m'en vais vous dire mon nom et, si j'échappe au jour de misère, même si ma maison est bien loin, je serai toujours prêt à vous recevoir. Je suis Ulysse, fils de Laerte, connu de tous les humains pour mes ruses ; ma gloire atteint le ciel. J'habite Ithaque l'ensoleillée, près des forêts frémissantes du mont Nérite. Des îles l'entourent, serrées les unes contre les autres, Doulichion, Samé, Zacynthe boisée. Ithaque est basse sur l'horizon ; elle est rocheuse, mais ses jeunes gens sont vigoureux. Je ne peux imaginer de pays plus doux que ma terre. Calypso me retenait dans son île, au bout de la terre. Mais je ne lui ai jamais obéi dans mon cœur. Il n'est rien qui vaille patrie et parents.

Allons, je vais vous raconter le retour affreux que Zeus m'avait préparé, quand je suis revenu de Troade.

Au départ d'Ilios, le vent nous porta au pays des Cicones. J'ai pillé leur cité, tué les défenseurs et quand j'ai réparti femmes et richesses entre mes soldats, aucun d'entre eux n'a eu à s'en plaindre. Mais voici les peuples de l'intérieur, escadrons serrés, cavaliers émérites, aussi nombreux que les feuilles et les fleurs au printemps. Ils engagent le combat près des bateaux rapides, à coups de javelines de bronze. Tant que c'est l'aurore et le début du jour, nous résistons malgré leur nombre. Mais à l'heure où l'on dételle les bœufs, les Cicones écrasent mes Achéens. Nous perdons six hommes par bateau et nous reprenons la mer. Mais avant de nous éloigner, nous appelons, par trois fois, chacun de nos malheureux compagnons, tombés sous les coups des Cicones. Zeus alors fait se lever un vent du nord, aux hurlements épouvantables. Il cache terre et mer sous les nuages. La nuit descend du ciel ; les bateaux, pris par le travers, sont balayés, les voiles déchirées en trois et quatre morceaux, sous la fureur du vent. Nous amenons les voiles et ramons jusqu'à terre. Nous y restons deux jours et deux nuits, épuisés de fatigue, le cœur accablé de douleur.

Quand l'Aurore aux belles boucles ramène le troisième jour, nous dressons les mâts, nous déployons les voiles blanches ; le vent et les pilotes guidaient nos navires. J'allais revenir chez moi ! Mais voici que la houle et les courants, à peine doublé le cap Malée, me détournent de l'île de Cythère. Les vents mauvais nous emportent pendant neuf jours sur la mer poissonneuse.

Le dixième, nous arrivons au pays des Lotophages qui ont, pour nourriture, des fleurs. Nous descendons à terre, et j'envoie trois hommes en éclaireurs. Mais dès qu'ils rencontrent les Lotophages, on leur offre à goûter du lôtos. Or, qui mange du lôtos ne veut plus rentrer chez lui mais rester chez les Lotophages. Je les fais ramener de force aux bateaux, malgré leurs plaintes, et attacher à fond de cale. Puis nous repartons, de peur qu'un autre marin n'oublie tout lui aussi en mangeant du lôtos. Les rames frappent la mer blanchissante.

Nous atteignons le pays des Cyclopes pétris d'orgueil, sans lois, qui ne plantent ni ne labourent. Sans semailles ni labours, tout lève, orge, blé, vigne, grappes que fait grossir la pluie de Zeus. Ils n'ont ni assemblées, ni conseillers, ni arbitres. Ils habitent sur la cime des montagnes, dans des grottes profondes. Chacun rend la justice pour ses enfants et ses épouses, sans se soucier des autres.

À proximité de leur terre, par le travers de leur port, il y a une île boisée où prospèrent les mouflons ; les chasseurs ne la parcourent pas à la recherche de gibier ; pas de charrues ni de bœufs. Les Cyclopes ne possèdent pas de bateaux aux rouges bordés ni de charpentiers pour construire des bateaux bien pontés. Sinon, quel beau commerce ils pourraient faire avec les hommes !

Dans cette île, il y a un port où il n'est besoin ni d'amarre ni d'ancre. Nous y échouons nos bateaux et nous débarquons pour dormir sur la plage. Dès l'aurore, nous partons pour la chasse, avec arcs et épieux. Nous rapportons neuf chèvres pour chacun des douze bateaux, dix pour le mien, et nous faisons bombance jusqu'au coucher du soleil. Nous avions du vin, pillé au pays des Cicones, nous contemplions la terre des Cyclopes, toute proche, ses fumées, nous entendions les bêlements des moutons et des chèvres. Au coucher du soleil nous nous étendîmes à nouveau sur le rivage pour y dormir.

Quand apparaît, fraîche éclose, l'Aurore aux doigts de rose, j'appelle les équipages en assemblée et je leur donne l'ordre de rester dans l'île. Moi, avec mon bateau et mes hommes, je vais partir en exploration, voir si ces habitants sont des brutes sauvages ou des gens hospitaliers et respectueux des dieux.

Nous abordons et nous apercevons, près de la mer, une caverne à haute voûte, cachée sous des lauriers. Des brebis et des chèvres y étaient au repos. Le parc était protégé par un grand mur fait d'une accumulation de blocs bruts, de longs pins et de chênes à haute cime. C'était là le repaire d'un être monstrueux qui gardait ses troupeaux, loin de tout, seul, sans fréquenter personne. C'était un monstre prodigieux, qui ne ressemblait pas à un homme mangeur de pain, mais bien plutôt à la cime boisée d'une haute montagne, isolée au milieu des autres monts.

Je laisse mon équipage à la garde du bateau et je pars avec douze hommes, les meilleurs. Je m'étais muni d'une outre de peau de chèvre remplie de vin sombre sucré. Je l'avais reçu en rançon d'un prêtre du pays des Cicones. C'était un cru divin, dont personne ne connaissait l'existence dans sa maison parmi ses serviteurs et ses servantes. Seules son épouse et son intendante étaient dans la confidence. Quand on voulait boire de ce vin rouge sucré, on le coupait de vingt mesures d'eau, et une odeur délicieuse montait du cratère ; personne n'y résistait. J'en avais rempli ma grande outre.

Rapidement nous atteignons la grotte, mais nous ne trouvons pas le Cyclope à l'intérieur ; il faisait pâturer son gras troupeau. Nous entrons dans la caverne et nous inspectons tout : les claies ployaient sous les fromages, les enclos débordaient d'agneaux et de chevaux, séparés par âge. Toutes les jattes, tous les bols et les seaux à traire étaient pleins à ras bord de petit-lait. Mes hommes me supplient de faire main basse sur les fromages, de vider les enclos, de conduire agneaux et chevreaux au bateau et de prendre la mer.

Je ne cède pas — j'aurais mieux fait ! —, je voulais voir le Cyclope et en obtenir des présents d'hospitalité. Eh bien ! il ne devait pas se montrer vraiment aimable avec mes compagnons ! Nous faisons du feu, nous tuons une bête, nous mangeons des fromages et nous attendons le retour du Cyclope.

Le voilà, portant une énorme brassée de bois mort. Il jette son fardeau dans la caverne avec un grand fracas. Saisis de terreur nous nous blottissons tout au fond de la grotte. Il fait entrer la troupe des femelles à traire, les mâles restent à l'extérieur, dans l'enceinte. Puis il bloque l'issue avec un gigantesque bloc de pierre, que vingt-deux chariots à quatre roues ne pourraient faire bouger du sol. Le Cyclope trait chèvres et brebis, met à cailler la moitié du lait, en conserve l'autre moitié pour le boire. Soudain il nous aperçoit :

« Étrangers, qui êtes-vous ? D'où êtes-vous venus par les routes de la mer ? Est-ce pour commercer ? Etes-vous des pirates cherchant l'aventure sur la mer, au risque de votre vie, pour piller en terre étrangère ? »

Notre cœur se brise, à entendre la voix effroyable du monstre. Je parviens à lui répondre :

« Nous sommes Achéens, au retour de Troade, égarés sous les coups de vents contraires. Nous avons eu l'honneur de servir sous les ordres de l'Atride Agamemnon, dont la gloire atteint les cieux ; si grande était la ville que nous avons pillée et dont nous avons anéanti l'armée ! Nous sommes à tes genoux pour obtenir quelque cadeau d'hospitalité, comme c'est l'usage. Crains les dieux, nous sommes des suppliants et Zeus hospitalier protège les étrangers et les suppliants.

— Tu n'es qu'un enfant, étranger, répond Polyphème le Cyclope, ou bien tu viens vraiment de loin, si tu me conseilles de craindre les dieux ou d'éviter leur colère. Nous autres Cyclopes, nous n'honorons ni Zeus Maître de l'égide, ni dieux bienheureux, car nous sommes bien plus forts. Si je décide de vous épargner, toi et tes compagnons, ce n'est certainement pas la crainte de Zeus qui me poussera à le faire. Mais dis-moi où tu as mouillé ton bateau bien construit, à l'autre bout de l'île ou tout près d'ici ?

— Poséidon, l'Ébranleur du sol, a brisé mon bateau en le jetant sur les récifs, au bout du promontoire. Le vent soufflait de la haute mer ; nous avons réussi à éviter la mort. »

Il ne me répond rien, mais il bondit sur mes compagnons, les mains en avant. Il en saisit deux et leur fracasse le crâne contre terre comme à des chiots. Leur cervelle coule à terre et imbibe le sol. Il leur arrache les membres et apprête son repas. Il dévorait comme un lion des montagnes, sans rien laisser, entrailles, chair, os à moelle. Nous tendions les mains vers Zeus, en pleurant. C'était horrible, nous étions paralysés.

Quand le Cyclope a gavé sa grosse panse de chair

humaine et de lait pur, il s'étend de tout son long dans la caverne, au milieu des bêtes. Moi, je réfléchissais : fallait-il m'approcher, tirer l'épée effilée qui pendait à ma cuisse, le frapper au foie, au bon endroit ? Mais une idée me retint : nous aurions péri sur place, car nos bras n'auraient pu faire basculer le lourd rocher qu'il avait disposé à la porte.

En pleurant nous attendons l'Aurore divine. Quand elle paraît, fraîche éclose, le Cyclope rallume le feu, fait la traite, soigneusement, et place sous chaque mère son petit. Il prend encore deux hommes et les mange, puis il fait sortir son troupeau, en poussant facilement le rocher, qu'il remet en place, comme un couvercle de carquois. Sifflant à tue-tête, il prend avec ses bêtes le chemin de la montagne.

Le Cyclope avait laissé dans la caverne sa grande massue, en bois vert d'olivier, aussi grande que le mât d'un bateau marchand à vingt rameurs. Il en avait la hauteur et l'épaisseur. J'en coupe la longueur de deux bras et donne l'ordre de le dégrossir ; quand on l'a bien poli, j'en aiguise la pointe. Ensuite je le fais durcir à la flamme du feu et je l'enfouis sous le fumier qui couvre le sol. On tire alors au sort quatre hommes qui iront, avec moi, planter le pieu dans l'œil du Cyclope dès qu'il s'endormira.

Au soir, il revient, menant ses bêtes à belle toison et les pousse toutes, mâles et femelles, dans la vaste caverne, de son propre mouvement ou sous l'impulsion d'un dieu. Il remet en place le lourd rocher, trait ses bêtes et dévore encore deux de mes hommes. Alors je viens près de lui, tenant à deux mains une jatte emplie de vin noir :

« Cyclope, tiens, bois du vin, après avoir mangé de la chair humaine. Tu verras quelle boisson transportait mon navire. Je te l'apportais en cadeau, mais toi, ta fureur ne connaît aucune limite. »

Il accepte mon offre et boit. La boisson délicieuse le transporte et il m'en réclame encore un coup :

« Donne-m'en encore, de bon cœur, et dis-moi maintenant ton nom, pour que je te fasse un beau présent d'hospitalité ! Nous aussi nous avons de la vigne, mais ton vin est une distillation de nectar et d'ambroisie ! »

Je lui verse encore du vin couleur de feu ; trois fois je lui en donne, trois fois il le boit, en pure stupidité. Le Cyclope est bientôt imbibé de vin, alors je lui dis ces paroles de miel :

« Tu me demandes mon nom fameux, je m'en vais te le dire ; mais donne-moi le présent promis. Je m'appelle Personne, c'est ainsi que me nomment père, mère et tous mes compagnons.

— Je mangerai alors Personne en dernier, après ses compagnons, voilà mon présent d'hospitalité ! »

Il dit et glisse en arrière, son cou énorme s'incline, un sommeil irrésistible s'empare de lui. Dans son ivresse, il avait des renvois et son gosier vomissait du vin et des morceaux de chair humaine. Je pousse le pieu sous le tas de braises et le fais chauffer. J'encourage mes compagnons, pour éviter que la peur n'en pousse un à me lâcher.

Quand le pieu d'olivier est près de flamber, bien qu'il soit en bois vert, je le sors du feu. Un dieu nous donnait du courage. Mes hommes soulèvent le pieu aigu et le plantent en plein dans l'œil, tandis que je le fais tourner du bout, comme un charpentier de marine qui perce une poutre avec une tarière. C'est ainsi que nous faisons tourner le pieu brûlant dans son œil, et le sang gicle. La prunelle, les sourcils et les paupières sont calcinés. Le pieu d'olivier grésille dans son œil comme une hache rougie au feu qu'un forgeron trempe dans l'eau froide.

Le Cyclope pousse un hurlement épouvantable. La roche en renvoie l'écho et nous bondissons en arrière. Il arrache le pieu souillé de sang et le jette loin de lui, dans son égarement. Il appelle à grands cris les autres Cyclopes qui habitent alentour dans des cavernes en haut des montagnes. Ils accourent à ses cris, l'entourent et lui demandent ce qui l'afflige :

« Pourquoi ces cris, Polyphème, pourquoi nous réveilles-tu dans la nuit divine ? Est-ce qu'un mortel te vole ton troupeau ? Est-ce que l'on t'agresse, par ruse ou violence ? »

Du fond de la caverne le puissant Polyphème leur répond :

« Mes amis, c'est Personne qui me tue par ruse, non par violence !

— Si vraiment Personne ne t'agresse et si tu es tout seul, il n'est pas possible d'échapper à la maladie qui vient de Zeus. Prie donc ton père, le seigneur Poséidon. »

Ils parlent ainsi et s'en vont. Moi, je riais silencieusement, à voir comment mon nom et mon astuce les avaient trompés.

Le Cyclope, gémissant et accablé de douleurs, était allé à tâtons retirer la pierre de la porte. Il s'assied dans l'entrée et tend les mains en travers pour attraper qui voudrait s'échapper au milieu des moutons. Mais moi, pas si sot, j'imagine un bon plan. Les béliers étaient restés dans la caverne, ils étaient bien nourris, avec une épaisse toison sombre. En silence, je les attache trois par trois en tressant l'osier sur lequel dormait ce monstre sauvage. Le bélier du milieu portait son homme par-dessous. Les deux autres le protégeaient des deux côtés. Les trois béliers supportaient donc ensemble le poids de chaque homme. Moi je choisis le plus gros bélier du troupeau, je me glisse sous son ventre laineux et je reste immobile, accroché à pleines mains à la toison merveilleuse.

Quand paraît, fraîche éclose, l'Aurore aux doigts de rose, les mâles courent vers le pâturage. Leur maître, dévoré de cruelles douleurs, palpe le dos de chaque bête ; le sot ne voit pas comment mes hommes sont attachés sous les moutons à l'épaisse toison. Le gros bélier sort le dernier, alourdi par sa laine et mon poids.

« Mon pauvre bélier, dit Polyphème, pourquoi es-tu le dernier à sortir de la caverne ? D'habitude tu es le premier à paître les tendres fleurs des prés. Si seulement tu pouvais parler et me dire où se cache Personne ! Il répandrait bien vite sa cervelle sur le sol ! »

Sur ces mots il lâche le bélier et le laisse sortir. Dès que nous sommes à peu de distance, je me dégage du bélier, je délie mes compagnons, nous poussons les bêtes vers le navire. Notre apparition provoque la joie de nos compagnons. Je fais charger les moutons et nous embarquons au plus vite. Quand nous sommes encore à portée de voix, je crie au Cyclope :

« Tu ne t'imaginais pas que tu allais dévorer mes compagnons sans que Zeus te punisse ! »

Cela redouble sa colère, il arrache la pointe d'un grand rocher et le projette devant la proue bleu sombre. La masse soulève la mer et la vague nous ramène presque à terre. Je prends une longue gaffe et je nous repousse vers le large. Nous forçons sur les rames. Une fois plus loin j'interpelle encore le Cyclope, malgré les supplications de l'équipage :

« Cyclope, si on vient te demander qui t'a crevé l'œil, réponds que c'est Ulysse, le fils de Laerte, le pilleur de villes, celui qui habite à Ithaque !

— Ah ! s'écrie le Cyclope, voici que s'accomplissent les oracles. On m'avait prédit que je serais privé de la vue par Ulysse. Mais j'attendais toujours l'arrivée d'un mortel grand et fort et c'est un petit homme, un rien du tout, un faiblard qui me soûle et me crève l'œil ! Écoute-moi, Poséidon à la chevelure bleue, si tu es vraiment mon père, accorde-moi qu'Ulysse ne revienne jamais chez lui ou, si le destin le veut, au moins qu'il ne rentre qu'accablé de malheurs, après avoir perdu tous ses hommes ! »

Puis, saisissant un bloc encore plus gros, il le lance

en le faisant tournoyer et manque de peu d'atteindre la poupe de notre bateau. Nous regagnons l'île où est restée cachée notre flotte. Nous faisons bombance avec les moutons du Cyclope et notre bon vin. Puis nous dormons sur la plage et, dès que paraît l'Aurore, nous reprenons la mer.

CHANT DIX

LES AFFREUX LESTRYGONS ET LA TERRIBLE CIRCÉ

— Nous atteignons l'île où habite Éole, l'ami des dieux. C'est une île qui flotte ; elle est entourée d'une enceinte de bronze. Un pic se dresse en son milieu. Éole a douze enfants chez lui, six filles et six fils qui sont mariés entre eux. Ils passent leur temps à banqueter auprès de leurs parents, devant eux sont placés des plats innombrables. Pendant un mois Éole me reçoit avec amitié et m'interroge sur tout, la guerre de Troie, la flotte achéenne et son retour. Puis il m'aide à repartir. Il me donne une outre en peau de bœuf et il y enferme les vents hurlants dont Zeus l'a fait intendant : il suscite ou apaise le vent qu'il veut. Il noue solidement l'outre avec un cordon d'argent brillant et la dispose au fond du bateau. Puis il fait souffler un bon vent d'ouest pour porter bateaux et équipages.

Nous faisons voile pendant neuf jours et neuf nuits ; le dixième, nous pouvions voir, tout près, le sol de notre patrie et ses champs de blé. Alors un doux sommeil s'empare de moi. C'est moi qui avais réglé l'écoute, sans la confier à personne, pour marcher plus vite. Alors mon équipage commence à murmurer :

« Voilà l'ami de tout le monde, habile à obtenir des cadeaux où qu'il aille ! Déjà il rapporte un beau butin de Troade, tandis que nous revenons les mains vides. Et maintenant c'est Éole qui lui fait des cadeaux d'amitié. Allons, voyons vite l'or et l'argent dans l'outre ! »

Ils délient le sac, les vents s'en échappent, une bourrasque s'empare des bateaux et les entraîne au large, loin de notre patrie.

Je m'éveille et je ne sais si je dois plonger et me noyer en mer ou serrer les dents et rester vivant. Je me blottis au fond du bateau et ce maudit coup de vent nous ramène à l'île d'Éole. Mais à mes demandes, Éole répond :

« File au plus vite de mon île, honte de l'humanité ; je n'ai pas le droit d'accueillir un ennemi des dieux. »

Nous reprenons la mer, le cœur gros ; pendant six jours et six nuits d'affilée nous faisons voile. Le septième jour nous arrivons à la haute cité des Lestrygons. Dans ce pays les bergers se succèdent sans relâche ; un homme sans sommeil gagnerait deux salaires, à garder les bœufs, puis les moutons blancs, car ici les chemins de la nuit et du jour sont tout proches. Nous pénétrons dans ce port fameux, qu'encercle une haute falaise avec deux promontoires qui se referment sur la passe. Toute la flotte entre et s'amarre au fond de la baie, à l'abri de la houle ; mais seul je reste hors de la rade, accrochant un câble au rocher. J'envoie trois éclaireurs reconnaître qui habite ce pays. Ils remontent la route plane par où passent les charrois de bois vers la ville.

Ils rencontrent en chemin une jeune fille qui s'en allait puiser de l'eau à la source. C'était la fille du roi des Lestrygons ; elle leur indique la maison de son père. Mais quand ils y arrivent, ils y trouvent la reine, grande comme une montagne, une horreur ! Elle appelle son mari et le roi saisit aussitôt l'un des hommes et en fait son repas. Les deux autres s'enfuient, mais le roi donne l'alerte. Les Lestrygons accourent par milliers, plus semblables à des géants qu'à des hommes. Ils déversent des rochers du haut de la falaise. Un bruit horrible monte, cris des mourants, bateaux fracassés. Ils les harponnent comme des poissons et les emportent pour les dévorer. Pendant ce massacre, je tire mon épée et je tranche l'amarre du bateau à la proue bleu sombre. Je pousse l'équipage à forcer sur les rames pour échapper à la mort. Ensemble ils font jaillir l'écume. Nous doublons les promontoires, mais mon bateau est seul, le reste de la flotte a péri sur place.

Nous arrivons à l'île d'Aiaé, où habite Circé aux belles boucles, la terrible déesse qui connaît la langue des hommes, la fille du soleil. Nous poussons en silence le bateau vers la plage et nous demeurons là deux jours, écrasés de fatigue et de peine.

Mais quand l'Aurore aux belles boucles ramène le troisième jour, je prends mon épieu et mon poignard aiguisé. Je grimpe sur une crête et j'aperçois une fumée, qui monte du vaste horizon. Je reviens au bateau et un dieu me fait croiser la route d'un beau cerf aux grands bois qui descendait boire à la rivière. Je l'atteins en plein dos, à l'échine, et ma pointe de bronze le transperce. Je retire l'épieu, je lui lie les pattes avec une corde d'osier et je reviens au bateau en le tirant, tant il était gigantesque !

Mes compagnons m'accueillent avec joie et admirent la bête. On prépare le repas et l'on fait bombance de viande et de vin jusqu'au coucher du soleil, puis l'on s'allonge sur la plage pour dormir.

Quand revient l'Aurore, je réunis mes compagnons :

« Amis, nous ne pouvons, d'où nous sommes, voir où est l'occident, où est l'orient, quelle est la course du soleil. Mais moi, je suis monté sur la crête. J'ai vu que nous sommes sur une île encerclée par la mer, j'ai vu de mes yeux une fumée qui montait du milieu des taillis et des bois. »

Mais leur cœur défaille. Ils se souviennent des Lestrygons et du Cyclope mangeur d'hommes. Moi, je divise en deux l'équipage. Je commande une moitié, Euryloque à l'allure d'un dieu est le chef des autres. On tire au sort dans un casque de bronze et c'est la marque d'Euryloque qui saute du casque. Il part avec ses vingt-deux hommes.

Dans un vallon ils trouvent, au milieu d'une clairière, la maison de Circé, toute en pierres polies. Elle était entourée de loups des montagnes et de lions, que Circé avait ensorcelés avec ses drogues.

Les fauves font fête à mes hommes, comme des chiens qui accueillent leur maître. Eux tremblaient de peur devant ces monstres terribles. Ils s'arrêtent sous le porche de la déesse aux belles boucles, et entendent la voix harmonieuse de Circé qui tissait sur un grand métier une toile merveilleuse, légère et brillante, travail de déesse. Ils l'appellent et elle leur ouvre aussitôt sa porte luisante. Ils entrent tous, sans se méfier. Seul Euryloque craint un piège et reste dehors.

Circé installe mes compagnons dans des fauteuils et leur sert du vin de Pramnos mêlé de fromage, de farine et de miel doré. Elle ajoute à la nourriture une drogue funeste pour leur faire oublier leur patrie. Ils boivent, elle les frappe de sa baguette et les enferme dans sa porcherie. Ils avaient le groin, les grognements et les soies des porcs, mais ils avaient conservé leur conscience. Circé leur jetait à manger une nourriture de porcs, des glands, des baies.

Euryloque revint au bateau à la coque noire. Mais la douleur l'empêchait de parler, malgré son envie. Ses yeux étaient pleins de larmes. Enfin il nous révéla ce qu'il savait : personne n'était ressorti de chez Circé. Je passe mon épée cloutée d'argent dans mon baudrier d'épaule et je prends mon arc. Je lui demande de me guider, il refuse et me supplie :

« Ne me ramène pas là-bas, je ne veux pas, laisse-moi ici. Je sais que tu ne reviendras pas, non plus que tes compagnons. Fuyons au plus vite !

— Euryloque, reste ici à manger et à boire, près de la coque noire du bateau. Moi je vais y aller, c'est mon devoir. »

Je pars et j'arrive au vallon sacré. Je vais atteindre le

palais de Circé quand Hermès surgit devant moi, sous les traits d'un jeune homme à la barbe légère, à la jeunesse charmante.

« Où vas-tu ainsi, malheureux, seul par ces montagnes, dans ce pays inconnu ? Circé a transformé tes compagnons en porcs. Viens-tu les délivrer ? Tu vas rester enfermé avec eux. Allons, je veux te sauver : prends cette drogue de salut avant de pénétrer chez Circé. Sa puissance te protégera du malheur. Écoute, je vais tout t'expliquer : elle te préparera une boisson et ajoutera à la nourriture une drogue, mais elle ne pourra pas t'ensorceler, la drogue de salut l'en empêchera. Quand Circé t'aura frappé de sa longue baguette, tire ton épée effilée du long de ta cuisse, saute sur Circé comme si tu allais la tuer. Dans sa terreur elle t'offrira de coucher avec toi et l'on ne refuse pas le lit d'une déesse : il faut qu'elle délivre tes compagnons et aide à ton retour. Mais demande-lui de jurer par le grand serment des Bienheureux qu'elle ne te veut aucun mal. »

Sur ces mots, Hermès cueille le contre-charme et m'en montre l'espèce. Elle a la racine noire et la fleur blanche comme du lait. Les dieux l'appellent « molu » ; il est difficile aux hommes de l'arracher. Puis Hermès bondit de l'île boisée et regagne le vaste Olympe.

Je m'arrête sous le porche de Circé, je l'appelle,

elle sort et m'invite à entrer. Elle m'installe dans un fauteuil clouté d'argent, fait son mélange pour ma coupe d'or et, pleine de mauvais desseins, y glisse sa drogue. Je bois mais sa drogue n'agit pas. Elle me frappe de sa baguette :

« Va à la porcherie te coucher près de tes amis ! »

Alors je tire mon épée, je bondis sur Circé. Elle pousse un grand cri et se précipite à mes genoux :

« Qui es-tu, quelle est ta cité, qui sont tes parents ? C'est un miracle que ma drogue ne t'ait pas ensorcelé ! Aucun autre homme ne lui a jamais résisté. Tu dois être Ulysse aux cent détours, qui devait venir, selon Hermès, à son retour de Troade. Allons, remets l'épée au fourreau, montons sur le lit, afin qu'unis par le sommeil et l'amour, nous puissions avoir confiance l'un dans l'autre.

— Circé, comment peux-tu me parler d'amitié, alors que tu as transformé mes compagnons en cochons ! C'est par ruse que tu m'invites dans ton lit afin, dès que je serai nu, de me rendre sans force et impuissant. Non, jure-moi par le serment des dieux que tu n'as aucun mauvais dessein contre moi. »

Elle jure, alors seulement j'entre dans le lit magnifique de Circé.

Ensuite les femmes s'affairent dans la salle. Elle

avait pour servantes quatre Nymphes des sources, des bois et des rivières. L'une jette sur les fauteuils des jolies étoffes de pourpre, l'autre dresse des tables incrustées d'argent et place dessus des corbeilles en or, la troisième mêle dans le cratère d'argent un vin sucré au miel et remplit les coupes en or. La quatrième apporte l'eau et allume un grand feu sous le chaudron à trois pieds. Quand l'eau bout dans le bronze luisant, elle me fait asseoir dans une baignoire et me verse de l'eau tiède sur la tête et les épaules, pour chasser la fatigue de mes membres. Une fois baigné et frotté d'huile d'olive, je revêts un beau manteau et une tunique, et je prends place dans un fauteuil finement ouvragé. Elle m'invite à manger, mais mon cœur était ailleurs :

« Circé, quel est l'homme, avec un peu de conscience, qui accepterait de se repaître de nourriture et de boisson, avant d'avoir délivré ses compagnons ? »

Je parle ainsi. Circé sort de la salle, la baguette à la main, et va ouvrir la porcherie. Elle fait sortir mes compagnons. Ils ressemblent à des porcs de neuf ans. Ils se redressent et elle passe dans leurs rangs, en les frottant d'un onguent magique. Les soies tombent de leur corps, ils redeviennent des hommes, plus jeunes qu'avant, beaucoup plus beaux et plus grands. Ils me reconnaissent, me prennent la main et un même désir de sanglots nous envahit. La déesse est prise de pitié :

« Fils de Laerte, Ulysse l'inventif, retourne à ton bateau, au bord de la mer. Avec tes compagnons, tirez-le à terre, cachez dans des grottes votre matériel et le gréement ; puis ramène ici ton bon équipage. »

J'obéis et je retourne au bateau rejoindre mes compagnons. Dès qu'ils me voient, ils en ont les yeux mouillés de larmes. C'était comme si nous étions déjà de retour dans la rocheuse Ithaque. Je leur dis gentiment :

« Tirons à sec notre bateau et suivez-moi tous chez Circé retrouver nos compagnons. Ils font bombance dans sa maison. »

Tous me font confiance, sauf Euryloque :

« Malheureux, quelle envie avez-vous d'aller au palais de Circé, pour être transformés en loups ou en lions ? Pensez au Cyclope et à nos compagnons, perdus par la démence du téméraire Ulysse ! »

J'hésite dans mon cœur, vais-je tirer mon épée au long tranchant et envoyer rouler sa tête sur le sol ? Mais c'est un de mes proches parents ! Mes compagnons m'apaisent et me proposent de le laisser près du bateau. Pourtant Euryloque nous suit, par crainte de ma colère.

Nous retrouvons nos compagnons bien lavés, bien

frottés d'huile, bien vêtus, occupés à festoyer dans la salle. Dès qu'ils nous aperçoivent, la maison retentit de pleurs et de cris. Circé, divine entre toutes les déesses, intervient :

« Inventif Ulysse, fils de Laerte, assez de pleurs. Je sais déjà tous vos malheurs sur la mer poissonneuse et tout ce que, sur terre, vous ont fait souffrir des monstres. Allons, mangez et buvez, pour retrouver le cœur que vous aviez à votre départ pour la guerre. Vous avez trop souffert ! »

Nous restons à mener la bonne vie chez Circé, jusqu'au bout de l'an. Mais quand revient le printemps et ses longues journées, mes compagnons m'appellent :

« Infortuné, il faut te souvenir maintenant de ta patrie, si le destin veut que tu rentres sain et sauf dans ta haute maison. »

Au coucher du soleil j'entre dans le lit magnifique de Circé et je lui prends les genoux :

« Accomplis ta promesse, Circé, renvoie-nous chez nous ! Je le désire et mes compagnons aussi. Ils me brisent le cœur de leurs plaintes dès que tu n'es pas là !

— Ne restez pas dans ma maison si c'est de mauvais gré. Mais il vous faut d'abord prendre le chemin des Enfers, demeure d'Hadès et de la terrible Perséphone, pour interroger l'âme de Tirésias le Thébain, le devin aveugle. Perséphone lui a accordé de conserver sa raison, bien qu'il soit mort. »

Je sens mon cœur défaillir, je m'assieds sur le lit et je me mets à me lamenter :

« Qui nous montrera la route ? Personne n'a encore jamais abordé chez Hadès avec un bateau à coque noire.

— Ne te préoccupe pas de cela. Dresse le mât, déploie les voiles blanches et laisse-toi emporter par le vent du nord. Quand tu auras traversé l'Océan, tu trouveras le rivage et le bois sacré de Perséphone, les hauts peupliers et les saules stériles. Accoste là, au bord de l'Océan aux profonds tourbillons et pars avec tes gens vers la vaste maison d'Hadès, au confluent des fleuves des Enfers. Écoute bien, héros. Il faut que tu creuses une fosse carrée d'une coudée. Tu feras ensuite pour les morts une triple libation et tu leur promettras des sacrifices à ton retour en Ithaque. Puis égorge un agneau et une brebis noire en les tournant vers les Enfers, mais toi, détourne les yeux vers les fleuves. Alors par milliers vont s'attrouper les âmes des morts. Laisse tes gens dépouiller les bêtes et les brûler en l'honneur d'Hadès et de Perséphone. Toi, tire ton épée et empêche les têtes sans force des morts de s'approcher du sang avant que tu aies interrogé Tirésias. C'est lui qui te dira, ô meneur d'hommes, la route et les escales. »

Aussitôt je vais par la maison et je réveille l'équipage, en m'arrêtant auprès de chacun :

« Quittez le doux sommeil, allons ! Circé, la souveraine, me l'a conseillé. »

Ils m'obéissent, mais le plus jeune d'entre eux, nommé Elpénor, un garçon sans tête ni courage, était allé cuver son vin sur le toit de la maison. Il se réveille en sursaut et tombe du toit ; il se rompt le cou et son âme file directement chez Hadès.

Nous partons tristement. Sans être vue, Circé était venue porter les victimes prévues pour le sacrifice près du bateau.

QUITTANT CIRCÉ, ULYSSE DESCEND TOUT VIF AUX ENFERS

Circé, la terrible déesse à voix humaine, nous envoie un bon compagnon, un vent qui enfle nos voiles. Nous rangeons les agrès dans le bateau, et le vent et le pilote nous conduisent. Toute la journée les voiles demeurent tendues.

Le soleil se couche et le bateau atteint les limites de l'Océan au cours profond. C'est là le pays des Cimmériens, recouvert de brouillard et de nuages. Jamais les rayons du Soleil ne leur parviennent, c'est une nuit de mort qui règne sur ces malheureux. Nous échouons le bateau, nous emmenons les bêtes et, en longeant l'Océan, nous allons jusqu'à l'endroit désigné par Circé.

J'accomplis tous les rites prescrits par la déesse puis je saisis les victimes et je leur coupe la gorge. Le sang noir coule dans la fosse et, du fond des Enfers, se rassemblent les âmes des morts, jeunes femmes, jeunes gens, vieillards, jeunes filles, soldats aux armes couvertes de sang. Je pâlis de terreur.

La première âme est celle d'Elpénor qui, après s'être rompu le cou, était venu directement chez Hadès. Je le plains et lui promets de brûler son corps, de planter sur sa tombe sa rame, mais je ne le laisse pas s'approcher du sang.

Or, voici que, tenant un sceptre doré, l'âme de Tirésias le Thébain s'approche et me reconnaît :

« Pourquoi, infortuné, abandonnes-tu la lumière du soleil pour venir ici voir les morts et le pays sans joie ? Écarte-toi de la fosse, retire ton épée aiguisée pour que je boive au sang et te prédise la vérité. »

Je remets au fourreau mon épée à clous d'argent, il boit au sang et me dit, en devin sans reproche :

« Tu cherches à connaître le retour doux comme le miel, illustre Ulysse. Mais je crains que Poséidon, l'Ébranleur du sol, n'oublie pas sa colère contre toi : tu as aveuglé son fils. Mais malgré tout vous pourriez atteindre votre but, si tu pouvais maîtriser ton cœur et celui de tes compagnons. Dès que ton solide navire aura accosté à l'île des Trois Pointes, sur la mer violette, vous trouverez au pâturage les vaches et les grasses brebis du Soleil. Il voit tout, il entend tout : songe à ton retour, n'y touche pas ! Alors vous pourrez encore rentrer chez vous. Mais si tu lui fais tort, je te garantis la perte de ton bateau et de ton équipage. Toi-même, si tu réchappes, tu reviendras bien mal en point, bien tard, sans aucun de tes compagnons, sur un bateau étranger. Tu trouveras chez toi des gens arrogants qui dévorent tes biens, courtisent ton épouse et offrent déjà les présents du mariage. Tu les tueras par ruse ou ouvertement, avec le bronze effilé. Mais une fois les prétendants tués, il te faudra repartir, avec ta rame bien équilibrée, jusqu'à ce que tu arrives dans un pays où l'on ne connaît pas la mer, où l'on n'use pas de sel, où l'on ne connaît pas les bateaux aux rouges bordés, ni les rames qui donnent des ailes aux navires. Voici un signe très clair : lorsqu'un autre voyageur, en te croisant, dira que tu portes sur l'épaule une pelle à vanner, alors plante ta rame dans le sol, accomplis un sacrifice en l'honneur d'Apollon puis reviens chez toi. Là, tu célébreras de saintes hécatombes pour tous les Immortels, sans en oublier aucun. Alors la mort te viendra de la mer, très doucement : tu t'éteindras après une longue vieillesse, entouré d'un peuple heureux. »

Moi, je lui demande :

« Tirésias, voilà donc le destin que les dieux ont filé pour moi, mais explique-moi : j'aperçois l'âme de ma mère morte qui demeure en silence près du sang mais n'ose même pas regarder son fils en face, ni lui adresser la parole. Dis-moi, maître, comment lui faire savoir que je suis là.

— C'est facile : celui des morts que tu laisseras approcher du sang, celui-là te dira la vérité. »

Sur ces mots, l'âme de Tirésias rentre dans la demeure d'Hadès et moi je reste là à attendre que ma mère vienne boire au sang. Dès qu'elle a bu, elle me reconnaît et sanglote :

« Mon petit, comment as-tu fait pour venir dans les brumes du Couchant, alors que tu es vivant ? Il est bien difficile pour des mortels de contempler ce spectacle.

— Mère, il m'a fallu venir chez Hadès pour interroger l'âme de Tirésias. Je n'ai pas encore atteint le pays achéen et j'erre à la mauvaise aventure depuis que j'ai suivi Agamemnon vers Ilios aux bons chevaux. Mais dis-moi, quelle déesse de la mort t'a abattue, est-ce une longue maladie ? Est-ce Artémis l'archère qui est venue te tuer de ses douces flèches ? Parle-moi de mon père, de mon fils. Ma dignité royale est-elle en leur pouvoir ou est-elle passée à un autre homme, en désespoir de mon retour ? Parle-moi de ma femme, dis-moi ses pensées, ses projets. Est-elle restée près de mon fils et à la garde de mes biens ? A-t-elle déjà épousé un noble Achéen ?

— Elle demeure le cœur affligé dans ta maison et passe ses nuits et ses jours à se désoler. Personne ne possède ta dignité royale. Télémaque gère tranquillement le domaine et participe aux festins d'égalité, il est invité partout. Ton père reste à la campagne, il ne vient plus en ville. Il ne dort plus dans un lit avec des couvertures et des draps luisants, mais, l'hiver, avec les serviteurs, près du feu, dans la cendre ; l'été, il se fait une couche de feuilles, par terre. Son chagrin grandit, à attendre ton retour. La triste vieillesse l'a atteint. Moi aussi je suis morte et ce n'est pas de maladie ; c'est le regret de toi, le souci de toi, illustre Ulysse, c'est ma tendresse pour toi qui m'a privée du souffle au goût de miel. »

Elle parlait ainsi et moi je voulais saisir dans mes bras l'âme de ma mère morte. Trois fois je m'élance, trois fois elle s'envole de mes mains, comme une ombre ou un rêve :

« Mère, pourquoi ne me laisses-tu pas te toucher pour que, même chez Hadès, nous pleurions ensemble embrassés ?

— Hélas, mon petit, voici quelle est la loi pour les morts : les tendons ne tiennent plus les chairs ni les os, la flamme les anéantit, dès que le souffle nous a quittés. L'âme, comme un rêve, s'envole et disparaît. »

Or, tandis que nous parlons, les femmes surviennent et se rassemblent autour du sang. Je les laisse boire une à une. Je vois Alcmène, femme d'Amphitryon, qui coucha dans les bras du grand Zeus et enfanta Héraclès au cœur hardi ; je vois Léda, femme de Tyndare, qui mit au monde Castor, cavalier hors pair, et Pollux, champion de pugilat ; je vois Phèdre, je vois Ariane, la fille de Minos, le roi cruel. Mais je ne saurais les dire ni les nommer toutes avant la fin de la nuit divine. Il est temps de dormir, près du bateau avec l'équipage, ou sur place.

Ainsi parla Ulysse et tous, sans mot dire, demeuraient en silence, pris sous le charme, dans la salle pleine d'ombre.

Alcinoos alors se fit l'interprète de tous :

— Que notre hôte accepte, malgré sa hâte de rentrer chez lui, de rester avec nous jusqu'à demain, pour que je finisse de rassembler des cadeaux pour lui. Son voyage de retour sera l'affaire de tous et tout particulièrement la mienne.

— Puissant Alcinoos, gloire de ton peuple, même si tu me demandais de rester un an pour obtenir mon retour et des présents, j'accepterais. Cela me vaudrait respect et sympathie parmi le peuple d'Ithaque de revenir de ma patrie la main pleine.

— Ulysse, ceux qui te voient ne peuvent te soupçonner d'être un menteur, un fabricant de sornettes comme il y en a trop sur la terre noire. Dans tes récits, ce qui frappe, c'est l'élégance et l'élévation de la pensée. Tu as raconté ton histoire selon l'ordre, avec élégance et noblesse, en homme de métier, comme un véritable aède. Allons, dis-nous si tu as vu quelquesuns des nobles compagnons qui t'avaient suivi à Troie. La nuit est encore longue, c'est une nuit de prodiges. Ce n'est pas encore l'heure de dormir dans la maison ; je resterais volontiers jusqu'à l'Aurore divine, à t'entendre raconter tes malheurs.

— Puissant Alcinoos, les malheurs de mes compagnons morts après la fin de la guerre sont encore plus pitoyables. Ils sont tombés sous les coups d'une scélérate.

Donc la sainte Perséphone avait dispersé les âmes des femmes. Voici que s'approche l'âme d'Agamemnon, pleine de tristesse.

Autour d'elle, rassemblés, se pressaient tous ceux qui avaient rencontré leur destin et la mort dans le palais d'Égisthe.

Dès qu'il a bu au sang noir, il me reconnaît. Il tend les mains vers moi, il veut m'embrasser, mais il n'a plus la force ni la vigueur que possédaient auparavant ses muscles puissants.

« Très illustre Atride, Seigneur Agamemnon, quelle est la déesse de la mort qui t'a anéanti ?

— Fils de Laerte, inventif Ulysse, ce n'est pas Poséidon qui m'a anéanti sur mes bateaux, au milieu d'une tempête, ni des monstres humains, en terre ferme. C'est Égisthe qui avait préparé ma mort et qui m'a assassiné, aidé par ma perfide épouse, alors qu'il m'avait invité. Avec moi, ils ont tué sans pitié mes compagnons, comme des porcs aux dents blanches qu'on égorge dans la maison d'un homme puissant et riche, pour un mariage, un festin ou une cérémonie. Nous étions étendus dans la salle, au milieu des cratères et des tables chargées de plats, le sol fumait de sang. Le plus atroce, ce fut le cri de Cassandre, ma captive, la fille de Priam que Clytemnestre égorgeait sur mon corps. Puis la chienne me quitta, sans avoir le cœur de me fermer les yeux et la bouche. Alors, toi, n'aie jamais de faiblesse pour ta femme ! Ne lui confie pas tout, il y a les choses à dire et d'autres à taire. Mais ce n'est pas Pénélope qui t'égorgera, Ulysse. Elle est trop vertueuse et trop sage. Elle était jeune mariée quand nous sommes partis pour la guerre ; elle avait son bébé sur le sein, il doit être grand maintenant. Mais dis-moi, sais-tu où vit mon fils Oreste, à Pylos au milieu des sables ou dans la vaste Sparte, auprès de Ménélas ? »

Nous conversons ainsi et voici que s'approchent les âmes d'Achille, de Patrocle, d'Antiloque et d'Ajax, le meilleur des Achéens après Achille.

« Fils de Laerte, dit Achille, comment as-tu eu le cœur de descendre dans l'Hadès, séjour des morts sans conscience, des ombres des défunts ?

— Achille, fils de Pélée, je suis venu consulter Tirésias sur mon retour en Ithaque. Mais toi, Achille, aucun homme jamais n'a été plus heureux que toi, ni dans le passé ni ne le sera dans l'avenir. Pendant ta vie, nous t'honorions comme un dieu, maintenant ta puissance s'étend sur les morts. Que la mort te soit sans tristesse !

— N'embellis pas la mort, glorieux Ulysse ! Je préférerais travailler la terre chez un patron, un pauvre fermier sans beaucoup de moyens, plutôt que de régner sur tous les morts, sur toutes ces ombres ! Allons, parle-moi de mon noble fils, est-il venu à la guerre pour être le meilleur héros ou non ? Parle-moi de Pélée, mon père. A-t-il conservé sa dignité royale parmi les Myrmidons ? Ou bien est-il méprisé en Hellade et en Phthie, parce que la vieillesse lui paralyse bras et jambes ? Si seulement je pouvais revenir au palais de mon père, juste un instant ! Comme ses adversaires craindraient ma colère et mon bras !

— Je ne sais rien de Pélée, mais je vais te dire toute la vérité sur Néoptolème, ton fils. C'est moi qui suis allé le chercher dans l'île de Scyros et qui l'ai amené à l'armée des Achéens aux bonnes jambières. Au combat, jamais il ne restait mêlé à la masse des soldats, il combattait en avant des lignes, personne ne lui résistait. Et quand nous nous sommes enfermés dans le cheval fabriqué par Épéios, tous les héros tremblaient ; mais lui je ne l'ai vu ni pâlir ni essuyer une larme sur ses joues. Il brûlait de sortir du cheval, il serrait la poignée de son épée et sa lance à la pointe lourde de bronze, dans son désir de porter la mort au milieu des Troyens. Une fois prise la haute cité de Priam, il est reparti sur son bateau, sans aucune blessure. »

Dès ces mots, l'âme d'Achille aux pieds rapides s'éloigne à grands pas dans la prairie semée d'asphodèles en se réjouissant de ce que je lui avais dit de la gloire de son fils. Les autres âmes m'entouraient, dans la tristesse, chacune me racontant ses malheurs. Seule l'âme d'Ajax, fils de Télamon, restait à l'écart, irritée à cause de mon succès dans l'affaire des armes d'Achille que l'on m'attribua. Ajax s'était alors suicidé par dépit. Je lui adresse des paroles de douceur :

« Ajax, fils du noble Télamon, même mort, tu ne veux pas oublier ta colère contre moi ! Viens ici, Seigneur, écoute mes paroles, apaise ta colère et ton cœur emporté ! »

Mais lui, il ne me répond rien, et part rejoindre les autres âmes des morts dans les Enfers. Je vis alors Minos, illustre fils de Zeus, le sceptre doré en main, qui rend la justice chez les morts.

Je vis Tantale, debout dans un lac ; l'eau lui montait jusqu'au menton, mais malgré sa soif il ne pouvait rien boire ; dès que le vieillard se penchait l'eau disparaissait, engloutie, et la vase noire apparaissait à ses pieds. Des arbres magnifiques, poiriers, grenadiers, pommiers laissaient pendre ses fruits au-dessus de sa tête, mais dès que le vieillard tendait la main, le vent les emportait jusqu'aux sombres nuages.

Je vis Sisyphe, accablé de douleurs, soutenant un rocher énorme à deux mains. Il poussait des mains et des pieds pour monter la pierre au sommet d'une colline. Mais quand il allait atteindre la crête, une force la ramenait en arrière et la pierre roulait, sans hésiter, jusqu'à la plaine.

Je vis Héraclès, autour de lui s'élevaient les cris des morts, comme ceux d'oiseaux, dans une fuite éperdue. Semblable à l'obscurité de la nuit, il avait l'arc hors de l'étui et la flèche sur la corde. Il regardait partout avec des regards terribles, semblant toujours viser quelqu'un.

Moi, je reste à attendre, pour voir si l'un des héros des anciens jours viendrait. J'aurais voulu rencontrer des héros antiques, comme Thésée ou Pirithoos. Mais alors, les troupes des morts, par milliers, s'assemblent, avec un vacarme effrayant. L'angoisse me faisait pâlir. J'avais peur que Perséphone ne m'envoyât du fond de l'Hadès la tête monstrueuse de la Gorgone.

Je me précipite vers mon bateau, je presse l'équipage d'embarquer et de larguer les amarres. Ils se mettent aux bancs de nage. La vague et le courant nous emportent sur l'Océan, d'abord à la rame, puis un vent favorable nous entraîne.

CHANT DOUZE

FIN DU RÉCIT D'ULYSSE : UNE NAVIGATION TUMULTUEUSE

Enfin nous quittons le courant du fleuve Océan, et les vagues de la mer immense nous portent vers l'île de Circé, là où, fraîche éclose, l'Aurore a sa maison et où le Soleil se lève.

Nous tirons le bateau sur la plage et nous nous endormons jusqu'au matin. Dès l'aurore j'envoie des gens à la maison de Circé. Vite parée, la déesse arrive ; des suivantes portent le pain, les viandes et le vin rouge couleur de feu :

« Malheureux, vous avez pénétré tout vivants dans la demeure d'Hadès, ainsi vous serez morts deux fois ! Allons, mangez, buvez tout ce jour durant. À la prochaine aurore vous prendrez la mer. Je vous indiquerai la route pour éviter que vous ne soyez, sur mer ou sur terre, en butte aux dangers. »

Le Soleil se couche et l'ombre vient. L'équipage va dormir près des rouleaux de cordages. Circé me prend la main, me fait asseoir à l'écart des autres et me fait tout raconter, puis elle me dit :

« Ainsi tout cela est accompli. Écoute-moi maintenant. Tu vas arriver chez les Sirènes qui ensorcellent les humains qui les approchent. Celui qui, par ignorance, les aborde et prête l'oreille à leur voix, jamais sa femme ni ses petits enfants n'auront la joie de son retour. La voix merveilleuse des Sirènes le charme. Elles sont assises dans leur prairie, autour d'elles le rivage est jonché d'os, de corps décomposés dont la peau part en lambeaux. Pousse au large, bouche les oreilles de tes compagnons en pétrissant de la cire au goût de miel. Aucun d'entre eux ne doit entendre. Toi, tu pourras écouter si tu veux, à condition qu'ils te lient pieds et poings à la base du mât. Fais-toi attacher pour pouvoir t'abandonner au plaisir de leur voix. Si tu supplies tes compagnons et les pries de te délier, qu'ils te chargent encore plus de corde.

Ensuite il y a deux routes. D'un côté celle qui passe par les Écueils mouvants. Aucun oiseau ne peut survoler le premier rocher, pas même les timides colombes qui portent l'ambroisie à Zeus. La roche lisse en capture une à chaque fois. Aucun bateau humain ne peut échapper à l'autre écueil. La vague emporte les planches du bordage et le corps des matelots, avec des tourbillons de feu. Seul un navire est parvenu à les côtoyer, c'est le navire Argo, sujet de tant de Chants ; il allait être jeté sur l'écueil quand Héra, pour protéger Jason, lui permit de s'échapper.

De l'autre côté, les deux Récifs. L'un lance sa cime pointue jusqu'au vaste ciel. Jamais de ciel bleu, ni en été ni en automne. Personne ne pourrait l'escalader, tant la roche est glissante, comme polie. Au milieu du Récif s'ouvre une caverne obscure, orientée vers l'ouest, vers les Enfers. Gouverne droit sur elle, glorieux Ulysse. Depuis un bateau, même un archer adroit ne pourrait décocher une flèche et atteindre le fond de la grotte. C'est là que gîte Scylla, aux aboiements horribles. Elle a la voix d'une chienne, mais c'est un monstre hideux. Elle possède douze tentacules, six cous énormes, sur chacun une gueule affreuse avec trois rangées de dents serrées. Scylla est à moitié immergée dans le fond de la grotte ; elle allonge ses têtes hors de l'abîme et pêche dauphins, chiens de mer et parfois un grand cétacé comme Amphitrite en nourrit par milliers. Jamais aucun marin n'est passé par là sans dommage : sur le bateau à la proue bleu foncé, chaque tête emporte un matelot.

À portée de flèche, le second Récif est plus bas sur l'eau. Il porte un grand figuier, au panache luxuriant. Juste en dessous de lui, la divine Charybde engloutit le flot noir. Trois fois par jour elle le revomit, trois fois elle l'engloutit, spectacle terrible. Ne te trouve pas là quand elle l'engloutit, car même Poséidon ne pourrait te sauver. Gouverne plutôt vers le Récif de Scylla : il vaut mieux déplorer la perte de six hommes que celle de tous !

— Mais dis-moi franchement, déesse : si je parvenais à éviter la funeste Charybde, ne pourrais-je repousser Scylla ?

— Scylla n'est pas mortelle, c'est un monstre divin, terrible, horrible, invincible. Le seul salut est dans la fuite. Si tu t'attardais près de son rocher le temps de coiffer ton casque, j'ai bien peur qu'une seconde fois elle ne relance autant de gueules et n'enlève autant de matelots.

Tu arriveras ensuite à l'île à Trois Pointes. C'est là que paissent en grandes manades les vaches et les grasses brebis du Soleil. Si tu les laisses intactes, en pensant à ton retour, tu peux revenir en Ithaque, sinon c'est la fin pour ton bateau et ton équipage. »

Et voici que survient l'Aurore au trône d'or et Circé, la toute divine, repart vers sa demeure dans l'île. Nous,

nous embarquons et bientôt un vent portant nous entraîne.

Je préviens mes compagnons du danger des Sirènes, grâce aux conseils de Circé. Nous sommes en vue de leur île ; tout à coup le vent tombe ; un calme plat s'installe, sans un souffle d'air ; un dieu endort les vagues. Mes compagnons se lèvent, amènent les voiles et les rangent dans les creux de la cale. Ils s'assoient aux bancs et font blanchir la mer sous les coups de leurs rames polies. Moi, du bronze aigu je coupe en petits morceaux un grand gâteau de cire, je l'écrase entre mes mains puissantes. La cire s'amollit sous mes doigts et à la chaleur du Soleil. Je bouche les oreilles de tous mes compagnons, un par un. Eux m'attachent pieds et poings. Nous poursuivons notre route. Mais le bateau qui file sur la mer n'échappe pas au regard des Sirènes ; elles entonnent leur chant, à voix claire :

« Viens ici, Ulysse légendaire, arrête ton bateau, viens entendre notre voix à toutes deux. Aucun bateau à coque noire n'a jamais longé notre rivage sans succomber au charme de notre chant mélodieux. Nous savons tous les malheurs dont les dieux ont accablé Achéens et Troyens dans la vaste Troade. Nous savons tout ce qui se passe sur la terre féconde. »

Mon cœur voulait les écouter, je faisais signe de l'œil à mes compagnons de venir me détacher. Mais ils se courbent d'autant plus sur leurs rames et Euryloque vient resserrer mes liens. Nous nous éloignons, nous n'entendons plus la voix des Sirènes ni leur chant. L'équipage retire la cire de ses oreilles et me délie.

Mais à peine avons-nous laissé l'île que j'aperçois une vapeur d'écume et que j'entends le grondement des brisants. Pris de peur, mes compagnons lâchent leurs rames qui claquent en retombant à plat sur l'eau ; le bateau s'arrête.

Je cours dans le bateau, j'encourage chacun :

« Amis, nous en avons vu d'autres ! Ce n'est pas plus terrible que le jour où le Cyclope nous avait enfermés dans sa grotte ! Je vous en ai tirés. Allons, tout le monde à sa place ! Plongez vos rames au creux des brisants, voyons si Zeus nous sortira de là ! Toi, le pilote, tiens ferme la barre, gouverne à nous sortir de l'écume et des brisants. Attention au rocher, nous irions à la mort ! »

L'équipage m'obéit. Je ne leur parle pas encore de Scylla, ce fléau irrésistible. Ils risqueraient de lâcher leurs rames, de se blottir à fond de cale. Mais j'en oublie les conseils de Circé. Contre son avis, je revêts ma cuirasse, je prends deux longues lances et je vais à l'avant du bateau guetter Scylla sur son rocher.

Nous abordons la passe : d'un côté Scylla, de l'autre Charybde. Comme dans un chaudron sur un feu vif, l'eau bouillonne et se brise quand Charybde vomit. Les embruns jaillissent jusqu'à la cime des deux écueils. Quand elle aspire l'eau de mer, l'écume bouillonne à l'intérieur du rocher et gronde épouvantablement. Le fond de sable bleu-noir apparaît. Nous pâlissons.

Mais comme nous sommes en train de regarder de ce côté, dans la terreur de la mort, Scylla attrape six matelots au creux de mon bateau. Je me retourne pour jeter un coup d'œil sur le bateau et l'équipage et j'aperçois leurs bras et leurs jambes qui se débattent pendant que Scylla les enlève dans les airs. Ils m'appellent au secours. Comme des poissons ferrés et tirés de l'eau par un pêcheur, ils sont traînés sur le rocher, frétillants. Scylla les dévore sur place, alors qu'ils crient encore et tendent leurs mains vers moi, spectacle horrible !

Nous nous échappons et nous abordons à l'île merveilleuse du Soleil où il garde ses belles vaches au large front et ses grasses brebis. Nous entendions du bateau les mugissements et les bêlements.

Alors me revient la prédiction du devin aveugle, Tirésias le Thébain, et je dis :

« Écoutez-moi, compagnons, c'est Tirésias et Circé qui m'ont prévenu d'éviter cette île, pour échapper à un malheur épouvantable. Allons, poussez au large ! »

Leur cœur se brise et Euryloque se répand en vociférations :

« C'est folie, Ulysse ; toi, tu n'es pas fatigué. Tu as vraiment un cœur de fer pour nous interdire d'aborder alors que nous sommes fourbus de fatigue et de sommeil. Tu nous donnes l'ordre de faire route dans la nuit qui tombe. Or, c'est pendant la nuit que les coups de chien sont les plus mauvais, qu'ils disloquent les bateaux. Allons, pour le moment, obéissons à la nuit qui approche, préparons le repas. Dès l'aurore nous reprendrons notre course sur la vaste mer. »

Et tous d'applaudir. Moi qui connais les catastrophes qu'un dieu nous réserve, je lui adresse ces paroles, comme des flèches ailées :

« Euryloque, je suis seul et je suis forcé de céder, mais jurez-moi de ne toucher à aucune bête et de ne manger que les vivres fournis par Circé. »

Ils jurent et nous mouillons dans un port profond

en face d'une source d'eau douce. Nous débarquons, mes compagnons apprêtent le repas puis, après avoir évoqué le souvenir de nos compagnons disparus, nous glissons dans un doux sommeil.

Mais au dernier tiers de la nuit, alors que les constellations se couchent, Zeus déclenche un violent coup de vent. La tempête hurle, les nuages couvrent la terre et la mer. Dès l'aurore, nous tirons le bateau au creux d'une grotte consacrée aux Nymphes. Tout un mois durant, le vent est établi du sud.

Tant qu'ils ont des vivres et du vin, ils ne touchent pas aux vaches. Mais quand les provisions du bateau sont épuisées, mes compagnons sont forcés de se mettre à la chasse aux oiseaux, à la pêche avec l'hameçon courbe ; la faim leur tenaille l'estomac. C'est alors que je pénètre dans l'île pour prier les dieux et leur demander notre retour. Je m'éloigne de mes compagnons, je me lave les mains et je prie les dieux, maîtres de l'Olympe. En réponse les Immortels versent sur mes paupières un doux sommeil. Euryloque en profite pour donner un bien funeste conseil à l'équipage :

« Écoutez-moi, compagnons, mourir de faim est la fin la plus atroce qui soit. Capturons les plus belles bêtes du Soleil, accomplissons une hécatombe en l'honneur des Immortels. Si nous revenons en Ithaque, nous construirons un temple somptueux en l'honneur du Soleil et nous le remplirons d'offrandes magnifiques. S'il se met en colère à cause de ses vaches aux cornes droites et veut anéantir le bateau, je préfère mourir une bonne fois sous les vagues, plutôt que de perdre peu à peu la vie sur cette île déserte ! »

Tous l'approuvent. Bientôt, on prend des feuilles tendres à un chêne, car on n'a plus d'orge blanche pour le sacrifice ; sur les viandes grillées, on fait libation avec de l'eau, car on n'a plus de vin. Les bêtes rôtissent sur des broches. À ce moment je me réveille et je reprends le chemin du bateau et de la mer. Je sens la bonne odeur de graisse en approchant du bateau à deux étraves. Alors je me lamente :

« Zeus Père, dieux bienheureux, c'est pour mieux me perdre que vous m'avez fait dormir ! »

Or, les dieux nous envoyaient des signes : les peaux rampaient, les chairs embrochées meuglaient, on aurait cru entendre le mugissement des vaches.

Six jours durant mes compagnons banquettent, mais le septième jour le vent du sud cesse de hurler. Nous embarquons en toute hâte, nous dressons le mât et nous hissons les blanches voiles. Mais notre route est brève : une rafale de vent d'ouest frappe le bateau avec fureur. Le coup de vent casse les deux étais du mât, qui se rompt à son tour, les haubans glissent dans la cale. En s'abattant vers l'arrière le mât écrase le crâne du pilote, lui broie les os. Comme un acrobate l'homme plonge du haut du pont et disparaît. Zeus fait éclater un coup de tonnerre, la foudre frappe le bateau. Une odeur de soufre se répand. Mes compagnons tombent à la mer. Comme des cormorans autour de la coque noire, ils sont emportés par les lames. Moi je m'accroche au bateau jusqu'à ce qu'un coup de mer arrache le bordage de la quille ; le bateau se disloque. Le mât vient frapper contre la quille ; l'étai en cuir de bœuf y était encore attaché. Je lie ensemble mât et quille et je me laisse emporter par les vents de la mort. Le vent d'ouest tombe, le vent du sud revient et m'entraîne toute la nuit.

Je me retrouve devant Charybde ; elle vomissait son flot d'eau de mer. Je me lève et je saisis le grand figuier, je m'y accroche comme une chauve-souris, pas moyen de s'agripper avec les pieds et de grimper. J'y reste sans faiblir, jusqu'à ce que Charybde dégorge et le mât et la quille. Je lâche pieds et mains et je retombe dessus avec un bruit sourd. Je rame à deux mains, j'échappe à Scylla, grâce à Zeus. Neuf jours durant, la vague m'emporte.

La dixième nuit, les dieux me font accoster à l'île d'Ogygie où Calypso, la terrible déesse à voix humaine, m'accueille et me soigne. Mais pourquoi recommencer ce récit ? Hier je vous l'ai narré, à toi et à ta noble épouse. Je déteste raconter à nouveau ce que j'ai déjà clairement expliqué.

GRÂCE AUX PHÉACIENS, ULYSSE REVIENT ENFIN À ITHAQUE

Ainsi parla-t-il. Tous demeurèrent en silence, pris sous le charme dans la salle pleine d'ombre. Alcinoos alors prit la parole à son tour :

— Ulysse, puisque tu as atteint ma haute maison au sol de bronze, tu n'auras plus à errer encore à l'aventure pour rentrer chez toi. Quant à vous, qui dans ma salle buvez le vin couleur de feu des Anciens et écoutez l'aède, je vous demande ceci déjà dans son coffre poli notre hôte a de l'or ciselé, d'autres cadeaux encore, dons des conseillers phéaciens ; allons, ajoutons-y chacun un grand trépied et une aiguière ; nous nous ferons rembourser par le peuple : c'est lourd pour un seul homme de faire un tel cadeau.

Dès que parut, fraîche éclose, l'Aurore aux doigts de rose, ils s'élancèrent vers le bateau, portant le bronze, trésor des hommes forts ; Alcinoos, roi saint et fort, alla en personne tout ranger sous les bancs pour que rien ne gênât les rameurs. Puis Alcinoos fit immoler un bœuf. On festoya et l'aède chanta.

Mais Ulysse tournait sans cesse la tête vers le soleil éclatant, impatient de le voir se coucher. Soudain, il s'adressa aux Phéaciens amateurs de rame et surtout à leur roi :

— Puissant Alcinoos, gloire de tout ton peuple, après la libation, reconduisez-moi chez moi sain et sauf. Je vous salue tous. Car maintenant vous avez réalisé tous les souhaits de mon cœur. Puissé-je retrouver à mon retour mon épouse sans défaut et les miens en bonne santé. Que les Dieux vous accordent toutes sortes de bien-être et qu'aucun malheur ne vienne frapper votre peuple.

Le héraut Pontonoos mélangea dans le cratère du vin sucré au miel et remplit toutes les coupes. On fit libation aux dieux bienheureux, maîtres du vaste ciel. Ulysse se leva et plaça dans la main d'Arété la coupe à deux anses et lui dit ces paroles, comme des flèches ailées :

— Sois heureuse à jamais, reine, jusqu'au jour où viendront la vieillesse et la mort, destin des humains. Je m'en vais ; toi, demeure en joie dans ta maison avec tes enfants, ton peuple et le roi Alcinoos.

On conduisit Ulysse au bateau et le noble équipage étendit pour Ulysse des couvertures et des draps sur le pont du bateau creux, à la proue, pour qu'il pût dormir profondément. Il embarqua et se coucha en silence. Eux s'assirent, chacun à son banc, en ordre ; on délia l'amarre de la pierre trouée. En jetant le corps en arrière, ils faisaient voler l'écume avec leurs rames.

Le bateau filait en toute sûreté, sans trêve ; même l'épervier, le plus rapide des oiseaux, n'aurait pu le pourchasser. Il courait, fendant les vagues de la mer, portant un héros aux pensées semblables à celles des dieux.

Quand se leva l'astre du matin qui annonce la lumière de l'Aurore fraîche éclose, alors le bateau coureur de mers accosta sur l'île d'Ithaque. Il y a, dans cette île, un port qui appartient à Phorcys, le Vieux de la mer ; deux caps le protègent des vagues de la mer. On peut laisser là les bateaux pontés sans amarre. À la pointe du port se dresse un olivier feuillu et tout près s'ouvre la jolie grotte, le sanctuaire des Naïades. Il y a dedans leurs cratères, leurs amphores de pierre où les abeilles viennent faire leur miel, leurs grands cadres de pierre où elles tissent leurs merveilleux voiles de pourpre de mer.

C'est là que les Phéaciens pénètrent, car ils connaissent le mouillage. Dans leur hâte ils s'échouent sur la plage, d'une demi-longueur de bateau, tant ils avaient d'élan. Ils sautent à terre, soulèvent Ulysse avec draps et couvertures et le déposent sur le sable, toujours plongé dans son sommeil. Ils transportent les cadeaux des Phéaciens en tas au pied de l'olivier, en dehors du chemin, de peur qu'un passant ne les pille avant le réveil d'Ulysse. Puis ils s'en retournent chez eux.

Mais l'Ébranleur du sol, Poséidon, n'avait pas oublié ses menaces envers Ulysse. Il se plaignit à Zeus :

— Zeus Père, je ne serai plus respecté parmi les Immortels puisque ces Phéaciens qui sont de mon sang n'ont plus de respect pour moi. Voici qu'ils viennent de déposer Ulysse endormi en Ithaque, avec un butin supérieur à ce qu'il aurait rapporté de Troade.

— Que dis-tu là, Ébranleur du sol à la force puissante ? Tu es l'aîné, tu es le meilleur. Agis à ta guise, comme ton cœur le désire.

Poséidon alors se dirigea vers Schérie, le pays des Phéaciens, et il attendit ; le bateau coureur de mers s'approchait à vive allure. L'Ébranleur du sol le frappa de la main, le transforma en pierre et le fixa au fond de la mer. Les Phéaciens s'interrogeaient : qui avait pu arrêter en mer le bateau qu'on voyait déjà tout entier ?

Alcinoos s'exclama :

— Voici que s'accomplissent les prédictions de mon père ; il disait que Poséidon nous en voudrait parce que nous sommes des passeurs infaillibles pour tous. Il ferait sombrer un de nos solides bateaux au retour d'une escorte puis ensevelirait notre cité sous une haute falaise. Prions, sacrifions douze taureaux de choix à Poséidon. Qu'il ait pitié de nous !

Pendant ce temps le divin Ulysse s'éveillait de son sommeil sur le sol de sa patrie, mais il ne reconnaissait rien, tant il était resté longtemps absent. Pallas Athéna avait tout recouvert d'une brume. Tout lui paraissait étranger, les longs chemins, les mouillages, les rochers escarpés, les arbres luxuriants. Il se mit à gémir et se frappa les cuisses de la paume :

— Hélas, ces chefs, ces conseillers phéaciens n'étaient ni sages, ni justes ! Ils m'ont conduit non pas en Ithaque, mais sur une terre étrangère ! Allons, faisons le compte de mes trésors, de peur qu'ils n'aient emporté quelque chose sur leur bateau.

Athéna s'approcha alors de lui, sous l'apparence d'un jeune homme, un joli berger à l'allure de fils de roi, sur les épaules le manteau de cuir double, l'épieu à la main, des sandales à ses pieds luisants. Ulysse le salua et lui dit ces paroles, comme des flèches ailées :

— Ami, tu es le premier que je rencontre en ce pays ; salut et amitié ! Dis-moi franchement quelle est cette terre, quel est son peuple. Est-ce une île, un cap de terre ferme ?

Athéna la déesse aux yeux d'aigue-marine lui répondit :

— Tu es un sot, étranger, ou tu viens de très loin. Cette terre est bien connue du Levant au Couchant. Elle est rocheuse, les chevaux n'y peuvent galoper ; elle n'est ni trop pauvre, ni très vaste ; il y pousse et le blé et la vigne, sous de bonnes pluies et de belles rosées. Elle est bonne pour les chèvres et les porcs et porte des arbres variés. Ses abreuvoirs sont inépuisables. Le nom d'Ithaque, étranger, est même allé jusqu'en Troade, que l'on dit si loin de la terre achéenne.

L'endurant Ulysse, à l'entendre, eut le cœur en joie, mais il se répandit en inventions :

— J'ai déjà entendu parler d'Ithaque, c'était en Crète, loin au-delà de la mer. Mais j'ai dû fuir mon pays après avoir tué le fils d'Idoménée, Orsiloque, qui voulait me priver de mon butin. Un soir qu'il rentrait des champs, je l'ai frappé de ma lance garnie de bronze, après m'être mis en embuscade avec un compagnon. Une nuit très sombre couvrait le ciel ; personne ne nous vit, son meurtre fut secret. Mais après l'avoir tué, je courus demander à un équipage phénicien de me prendre à son bord. Nous devions arriver à Pylos, mais la force du vent nous fit nous écarter de notre cap. Nous sommes arrivés ici de nuit. Épuisé, sans songer à souper, j'ai glissé dans un profond sommeil. Mais eux ont tiré mon trésor du bateau et l'ont déposé sur la plage. Ils sont repartis pour la grande ville de Sidon et je suis resté seul avec mon noir chagrin.

À ces mots, Athéna la déesse aux yeux d'aigue-marine sourit et lui fit de la main une caresse ; elle prit la forme d'une femme belle et grande, experte en travaux de tissage et lui dit :

— Bien malin, bien menteur qui pourrait te surpasser en ruse, même si un dieu s'y essayait. Que tu es têtu, quel esprit compliqué tu as ! Tu n'as jamais ton content de ruses, même dans ta patrie tu ne renonces pas à tes récits de voleur et de menteur, enracinés dans ton cœur ! Allons, ne parlons plus de cela ; nous sommes tous deux maîtres de finesses. Tu es le meilleur des mortels pour le conseil et les contes. Moi, je suis renommée entre tous les dieux pour mon ingéniosité et ma finesse. Ainsi tu n'as même pas reconnu Pallas Athéna, la fille de Zeus, moi qui te protège sans cesse dans toutes tes épreuves ! Toi, tu vas devoir endurer en silence encore bien des avanies, sans dire à personne, homme ou femme, que c'est toi qui reviens.

L'ingénieux Ulysse lui répondit :

— Il est difficile de te reconnaître, déesse, quand un mortel te rencontre, même s'il en sait beaucoup : tu as tant d'apparences ! Je sais bien que tant que nous faisions la guerre en Troade, tu m'étais favorable, mais après la prise de la haute ville de Priam quand un dieu eut dispersé la flotte achéenne, je ne t'ai plus vue, fille de Zeus, je ne t'ai pas sentie embarquée sur mon bateau, pour me défendre. Maintenant réponds-moi, suis-je bien en Ithaque ? Suis-je vraiment de retour dans ma patrie ?

Athéna la déesse aux yeux d'aigue-marine lui dit alors :

— Toujours même bon sens dans ton cœur ! Je ne peux t'abandonner dans ton malheur : tu es courtois, ton esprit est vif, mais tu gardes ton sang-froid. Un autre se serait précipité pour revoir en sa maison ses enfants, son épouse. Toi, tu veux mettre ton épouse à l'épreuve. Eh bien, elle passe nuits et jours à pleurer dans la maison. Moi, je ne voulais pas combattre Poséidon, le frère de mon père. Il avait de la rancœur contre toi qui avais aveuglé le Cyclope, son fils. Mais je vais te montrer le sol d'Ithaque, pour que tu me croies ! Voici le port de Phorcys, voici l'olivier feuillu, la vaste grotte où tu as si souvent sacrifié aux Naïades, voici le mont Nérite avec ses forêts !

Sur ces mots la déesse dissipa la brume ; la terre apparut et l'endurant Ulysse se réjouit en son cœur, baisant le sol fertile. Il étendit les bras vers le ciel et pria les Naïades :

— Naïades, filles de Zeus, jamais je ne pensais vous revoir ; recevez mes prières les plus douces. Bientôt je vous ferai offrande, comme avant, si Athéna, la déesse du butin, protège ma vie et fait grandir mon fils.

Athéna alors pénétra dans la caverne obscure, pour en explorer les cachettes. Ulysse apportait tout, or, bronze inusable, étoffes bien tissées, cadeaux des Phéaciens.

Athéna rangea le tout et roula une pierre à l'entrée.

Ils s'assirent alors tous deux au pied de l'olivier sacré pour réfléchir à la mort des prétendants arrogants.

— Fils de Laerte, Ulysse aux nombreux expédients,

dit Athéna, réfléchis comment frapper ces prétendants sans honte qui règnent dans ta maison depuis
trois ans, font leur cour à ta femme et mangent tes
biens. Elle ne songe qu'à ton retour et les berce de
fausses espérances.

— Hélas, s'exclama Ulysse, j'allais subir dans ma
maison le même sort funeste que l'Atride Agamemnon, si tu ne m'avais tout expliqué, déesse. Allons,
tissons notre vengeance. Mais reste auprès de moi,
insuffle-moi la même fougue ardente que lorsque
nous avons délié les voiles éclatants de Troie.

Athéna la déesse aux yeux d'aigue-marine lui
rétorqua :

— Je vais te rendre méconnaissable pour tous,
même pour ton épouse et pour ton fils. Toi, va immédiatement rejoindre le porcher, il t'est resté fidèle. Tu
le trouveras près de ses bêtes, à la Roche du Corbeau,
près de la source Aréthuse. Reste là et prends tes
renseignements, tandis que j'irai à Sparte, la ville aux
belles femmes, pour rappeler Télémaque ton fils, qui
est parti questionner Ménélas à ton sujet. C'est moi qui
l'ai guidé, pour que ce voyage lui rapportât une belle
gloire.

Sur ces mots, Athéna le toucha de sa baguette, elle
flétrit sa peau parfaite sur ses membres souples, elle

fit tomber de sa tête ses cheveux blonds, couvrit tout son corps de la peau d'un vieillard de grand âge. Ses yeux si beaux se ternirent. Elle le couvrit de loques misérables, d'une tunique déchirée, crasseuse, noircie de suie. Là-dessus elle jeta une grande peau de cerf toute râpée et lui donna un long bâton, un sac repoussant tout déchiré avec une corde pour bandoulière.

Après avoir tout réglé entre eux deux ils se séparèrent et Athéna partit pour la divine Lacédémone chercher le fils d'Ulysse.

DEUXIÈME PARTIE

LA VENGEANCE D'ULYSSE

CHANT QUATORZE

MÉCONNAISSABLE, ULYSSE EST HÉBERGÉ
PAR EUMÉE LE PORCHER

Ulysse gagna alors les hauteurs boisées où Athéna lui avait indiqué qu'il pourrait joindre le brave porcher. C'était le plus fidèle de ses serviteurs. Il le trouva assis dans le vestibule de la porcherie qu'il avait bâtie lui-même, avec de grands blocs de pierre.

Tout d'un coup, les chiens aperçurent Ulysse et le pourchassèrent avec des abois furieux. Mais Ulysse, avec beaucoup de présence d'esprit, s'assit et laissa tomber son grand bâton à terre. Là, à côté de sa porcherie, il aurait été mis en pièces si le porcher n'avait surgi, bondissant au milieu des chiens.

À grands cris il les dispersa à coups de pierres et interpella son Maître :

— L'ancien, tu as bien failli être mis en pièces et moi, j'aurais été couvert de honte. Pourtant les dieux m'ont déjà donné bien des occasions de pleurer : je suis dans le chagrin de mon Maître à l'allure d'un dieu. Je nourris ses porcs gras, mais ce sont d'autres qui les mangent. Lui, il erre avec la faim au ventre dans un pays étranger, si même il voit encore la lumière du soleil. Mais viens, entrons dans ma cabane, pour que toi aussi, l'ancien, après avoir repu ton cœur de nourriture et de vin, tu nous dises d'où tu es et quels malheurs tu as endurés.

Il l'installa sur un coussin et Ulysse se réjouit d'être ainsi reçu :

— Que Zeus et tous les dieux immortels te donnent ce que tu désires le plus, puisque tu me reçois de si bon cœur.

— Mon hôte, répondit Eumée, je n'ai pas pour règle, même si venait un plus misérable que toi, d'avoir mépris de l'étranger ; car tous nous viennent de Zeus, étrangers et mendiants. Bien sûr notre cadeau est maigre, mais il vient du cœur. Si les dieux avaient permis le retour de mon Maître, il m'aurait entouré d'affection, il m'aurait donné tout ce qu'un bon maître donne à son serviteur, maison, lopin de terre, épouse de valeur, quand son serviteur a bien peiné pour lui et qu'un dieu a fait prospérer l'ouvrage.

Sur ces mots, il alla chercher deux porcelets, les

sacrifia, les flamba puis les découpa en petits morceaux qu'il enfila sur des brochettes. Après les avoir fait griller, il les saupoudra de farine blanche et les porta tout chauds devant Ulysse. Il mélangea dans une jatte du vin sucré au miel, s'assit en face d'Ulysse et l'invita à parler :

— Mange donc, mon hôte ; voici notre part des porcelets. Les porcs gras, ce sont les prétendants qui les mangent, sans se soucier du regard des dieux et sans pitié. Mais il n'est pas vrai que les dieux bienheureux aient de la sympathie pour les actes pervers ; ils honorent la justice et la vie droite des hommes. Même les pirates les craignent. Mais ces prétendants doivent savoir — un dieu a dû le leur dire — que le Maître est mort misérablement. C'est pourquoi ils ne veulent pas faire leur cour dans les règles ni s'en retourner sur leurs terres. Avec une insolence tranquille, ils déchirent ses biens, sans répit. Toutes les nuits, tous les jours que Zeus fait, ils sacrifient des victimes et pas seulement une ou deux. Ils assèchent son vin, y puisant sans mesure.

Eumée dit, et Ulysse buvait son vin, mangeait sa viande, voracement, en silence et méditant la mort des prétendants. Une fois son bol rempli de vin, et son cœur en fête, Ulysse adressa à Eumée ces paroles, comme des flèches ailées :

— Ami, quel est celui qui t'a acheté ? Dis-moi quel est son nom, je l'ai peut-être connu : j'ai tant erré dans tant de pays.

Le chef porcher lui répondit :

— L'ancien, aucun vagabond ne pourrait convaincre ni sa femme ni son fils, en leur donnant de ses nouvelles. Ils viennent tous pour se faire entretenir et mentir. Dès qu'ils arrivent à Ithaque, ils se précipitent chez ma maîtresse pour lui raconter des histoires. Elle les reçoit bien, les entoure de soins, les interroge sur tout, et les larmes coulent de ses paupières. Toi aussi, vieux, tu pourrais bâtir une belle histoire dans l'espoir d'obtenir manteau d'hiver, tunique et vêtements. Quant à lui, les chiens et les oiseaux doivent déjà lui avoir arraché la peau des os. Ou bien ce sont les poissons dans la mer qui l'ont dévoré, ou encore ses os sont enfouis sous une dune du rivage. En tout cas il est mort. Plus que mon père et ma mère, c'est Ulysse que je regrette, lui qui n'est pas là. Lui que j'appelle mon frère aîné, même quand il n'est pas là.

Ulysse l'endurant lui répondit alors :

— Je vais t'en faire le serment, ami. Il va revenir, Ulysse. Le prix de la bonne nouvelle, manteau d'hiver, tunique, beaux vêtements, tu me le paieras quand il sera revenu chez lui. À la nouvelle lune, soit à la fin du mois, soit au début de l'autre, il reviendra ici et il se vengera de tous ceux qui outragent ici même son épouse et son fils.

Tu lui répondis alors, porcher Eumée :

— L'ancien, ce n'est pas moi qui te paierai le prix de la bonne nouvelle. Ulysse ne reviendra plus jamais ici. Mais je me fais du souci pour son fils, Télémaque, qui est parti prendre des nouvelles de son père et dont les prétendants guettent le retour pour anéantir la race d'Ulysse. Mais allons, l'ancien, dis-nous tes propres malheurs. Dis-moi tout avec franchise, qui tu es, d'où tu es, où sont ta cité et tes parents, quel bateau t'a débarqué, car je pense que tu n'es pas venu ici à pied.

Ulysse le très rusé lui répondit :

— Je m'en vais te le dire avec une entière franchise, mais j'en aurais pour une année à te conter tous mes malheurs. Je suis né dans la vaste Crète ; mon père était riche, mais ma mère n'était qu'une esclave. À la mort de mon père, ses fils se partagèrent les biens au sort. Moi, je n'eus qu'une maison. On connaissait mon courage. Je n'avais pas de goût pour les travaux des champs. Ce que j'aimais, c'étaient les combats, les flèches, les lances, les rames et les bateaux. Tout ce qui fait peur aux autres, tout cela je l'aimais bien.

Avant qu'en Troade aient débarqué les fils des Achéens, neuf fois j'avais emmené ma troupe sur nos bateaux rapides pour une expédition de pillage à l'étranger et j'en avais rapporté un gros butin. Mais quand Zeus à la vaste voix eut combiné ce voyage de mort qui brisa les genoux de tant de héros, je fus chargé du commandement de la flotte avec l'illustre Diomède. Là, nous les fils des Achéens, nous avons combattu neuf ans et, la dixième année, après avoir ravagé la ville de Priam, nous sommes retournés chez nous avec nos bateaux. Moi, je ne restai qu'un mois à peine à me réjouir de mes enfants, de ma jeune femme, de ma fortune. Puis mon cœur m'a poussé à équiper une flotte pour l'Égypte, neuf bateaux pour lesquels je recrutai un équipage. Quatre jours après, un bon vent du nord nous amenait à l'embouchure du fleuve Égyptos au vaste cours. J'ordonne à mes compagnons de demeurer cachés près des bateaux, mais eux se précipitent sur la merveilleuse campagne égyptienne ; ils massacrent les hommes, emmènent femmes et enfants en esclavage. La cité est bientôt alertée par les cris ; dès le matin les gens accourent à la rescousse, la plaine se remplit de fantassins, de chevaux et de l'éclair du bronze. Zeus Ami de la foudre déclenche une épouvantable panique chez mes compagnons ; personne pour résister ; nous étions encerclés. Le bronze aigu en tue beaucoup, on emmène les autres pour être esclaves. Moi, Zeus me donne une idée. Aussitôt je retire mon bon casque de ma tête, je débarrasse mes épaules du grand bouclier, je lâche ma lance et je me précipite au-devant du char royal, et je supplie le roi en saisissant ses genoux.

Il eut pitié, me ramena chez lui sur son char, me protégeant de la colère de la foule, car il craignait le courroux de Zeus Protecteur de l'hospitalité.

Je restai là sept ans, en entassant de grandes richesses parmi ces généreux Égyptiens. La huitième année survint un Phénicien, un escroc, qui avait déjà fait bien du mal. Il me convainquit de le suivre en Phénicie. Je restai chez lui une année pleine. Les jours et les mois passèrent, l'année se termina et la bonne saison revint. Il m'emmena alors en Libye avec de beaux discours. Il voulait m'y vendre un bon prix ; je m'en doutais, mais j'étais forcé de le suivre.

Le bateau courait sous un franc vent du nord, au large de la Crète. Mais Zeus méditait notre perte ; nous nous éloignons de la Crète, plus de terre en vue, rien que du ciel et de la mer. C'est alors que le fils de

Cronos fit se dresser un nuage bleu-noir au-dessus de notre bateau creux; la mer devint sombre. D'un seul coup Zeus tonna et frappa le bateau de la foudre. Il chavira sous le choc, dans une odeur de soufre. Tout le monde tomba à l'eau, l'équipage, comme autant de cormorans, était ballotté par les vagues autour du bateau à coque noire. Pour me faire échapper au malheur, Zeus me mit entre les mains le mât gigantesque du bateau à la proue peinte en bleu. Je le serrai dans mes bras, emporté pendant neuf jours par les vents de la mort. Le dixième, par une nuit noire, une lame me roula sur la terre des Thesprotes. Leur roi me recueillit, sans me demander de rançon. C'est là que j'ai eu des nouvelles d'Ulysse. Le roi me disait qu'il l'avait reçu en hôte, avec amitié, sur son trajet de retour. Il m'a même montré les richesses qu'avait amassées Ulysse, le bronze, l'or, le fer longuement travaillé. Il était parti pour Dodone consulter le chêne à la cime divine sur le dessein de Zeus; le bateau était tout prêt pour le ramener à Ithaque.

C'est moi d'abord que le roi renvoya en me confiant à un bateau qui allait vendre du blé à Doulichion. Mais dès que le bateau coureur des mers fut au large, que la terre fut perdue de vue, les marchands préparèrent pour moi le jour de l'esclavage. Ils me retirèrent manteau, tunique, vêtements et me jetèrent ces loques et cette tunique en lambeaux que tu vois.

Au soir, nous arrivons aux champs d'Ithaque, claire sous le soleil. Ils m'attachent avec un filin souple sur le bateau et descendent à terre. Moi, les dieux eux-mêmes me détachent, sans mal. Je me couvre la tête de mes hardes, je me laisse glisser par la planche de déchargement et je plonge dans la mer. J'aborde et je me cache dans un épais maquis couvert de fleurs. Puis les dieux m'ont conduit dans cette cabane où j'ai rencontré un homme qui sait la vie.

Tu lui répondis alors, porcher Eumée :

— Ah! mon hôte très malheureux, tu m'as bouleversé le cœur en me racontant tous tes malheurs et tes errances! Il n'y a qu'un point, à mon avis, où tu ne peux me persuader, c'est quand tu parles d'Ulysse. Pourquoi faut-il que tu mentes à ce point? Moi, je sais bien la vérité sur le retour de mon maître : tous les dieux l'ont pris en haine. Je reste près de mes porcs et je ne vais en ville que lorsque Pénélope me fait venir, quand lui arrive une nouvelle. Moi, je n'ai plus le cœur à m'informer, depuis qu'un Étolien est venu me raconter des histoires. Il avait tué un homme et errait à l'aventure. Il est venu dans ma cabane, je l'ai entouré d'amitié. Il me disait qu'il avait vu Ulysse en Crète, chez Idoménée, en train de radouber ses bateaux, disloqués par les tempêtes ; il reviendrait à l'été ou à l'automne. Et toi, malheureux ancien, c'est un dieu qui t'a conduit chez moi. N'essaie pas de me plaire ou de me flatter par des mensonges. Ce n'est pas pour cela que j'ai du respect et de la sympathie pour toi ; c'est parce que je crains Zeus Protecteur de l'hospitalité.

Tandis qu'ils parlaient ainsi, les autres porchers revinrent. On enferma les truies dans leurs stalles et leurs grognements montaient tandis qu'on les parquait.

Eumée dit alors à ses compagnons :

— Amenez-moi le plus beau des porcs, et sacrifions-le pour ce visiteur venu de si loin. Nous en profiterons aussi, nous qui avons la peine de nous occuper de ces porcs aux blanches défenses. D'autres impunément mangent notre fatigue !

Sur ces mots, il fendit des bûches, tandis que les autres amenaient un porc gras de cinq ans. Eumée jeta dans le feu quelques poils de la tête et pria les dieux de permettre le retour d'Ulysse le très avisé, puis d'un coup de bûche il assomma la bête. On l'égorgea, on la flamba et on la dépeça. Le porcher plaça les tranches de viande sur les braises. Le reste fut cuit en brochettes. On servit la viande ; la première part fut pour Hermès, chacun en eut sa ration, mais Ulysse eut les filets, et cela réjouit le cœur du Maître.

Le serviteur d'Eumée débarrassa les tables et ramassa le pain. Chacun alla se coucher. La nuit vint, mauvaise, une des plus obscures du mois ; Zeus allait pleuvoir toute la nuit ; soufflait un grand vent d'ouest toujours porteur de pluie.

Ulysse voulut mettre le porcher à l'épreuve, pour voir s'il lui prêterait un manteau :

— Écoutez-moi, Eumée, et vous tous compagnons, j'ai quelque chose à vous demander. Si seulement j'avais ma force et ma vigueur de jeune homme, comme la fois où nous préparions une embuscade sous les murs de Troie. Je commandais, après Ulysse et Ménélas. Nous étions couchés près de la ville, dans un maquis épais de roseaux, blottis sous nos armes.

La nuit vint, une nuit mauvaise, avec du vent du nord, une nuit de glace ; là-dessus tombe de la neige, comme une froide gelée blanche ; nos boucliers se couvraient de givre. Les autres avaient manteau et tunique. Ils dormaient bien confortablement, le bouclier ramené sur les épaules. Mais moi, par négligence, j'avais laissé mon manteau au camp : je ne pensais pas qu'il gèlerait ainsi. Je n'avais que mon bouclier et ma cuirasse brillante.

La nuit était à son dernier tiers, les constellations descendaient sur l'horizon ; alors je donnai un coup de coude à Ulysse, mon voisin :

« Noble fils de Laerte, inventif Ulysse, je vais quitter les vivants, le froid m'anéantit : je n'ai pas de manteau ; une divinité m'a trompé et fait venir simplement avec ma tunique. L'affaire est sans issue. »

Lui, il a immédiatement son idée en tête, quel homme pour donner des conseils ou combattre ! Il me dit à voix basse :

« Tais-toi, maintenant, pour qu'aucun autre Achéen ne nous entende. »

Alors se redressant sur son coude :

« Écoutez compagnons, un songe divin est venu me visiter en rêve : nous sommes trop loin des bateaux. Qui pourrait aller dire à l'Atride Agamemnon, Maître de l'armée, de nous envoyer du renfort ? »

À ces mots, Thoas bondit sur ses pieds, en un éclair, et se débarrassa de son manteau de pourpre pour mieux courir aux bateaux ; et moi, avec délices, je m'enroulai dans son manteau, tandis qu'apparaissait l'Aurore au trône d'or. Eh bien ! si seulement j'avais encore ma force et ma vigueur de jeune homme, dans cette cabane, un des porchers me donnerait son manteau, par amitié et respect pour un vaillant !

Tu lui répondis alors, porcher Eumée :

— L'ancien, voilà un récit sans défaut, pas un mot qui n'aille à son but. Pour l'heure tu ne manqueras ni de manteau ni de rien que l'on doive accorder à un malheureux suppliant, mais pour maintenant seulement, car dès l'aurore, tu devras secouer tes hardes. Nous n'avons pas beaucoup de tuniques ni de manteaux de rechange.

Il se leva, disposa près du feu une couche de peaux de moutons et de chèvres. Ulysse s'y coucha. Eumée le couvrit d'un grand manteau épais, son manteau pour les jours de mauvais temps. Ulysse et les jeunes gens dormaient là, mais le porcher s'équipa pour aller monter la garde auprès de ses porcs.

RETROUVAILLES D'ULYSSE ET DE TÉLÉMAQUE

Cependant, Pallas Athéna était partie pour la vaste Lacédémone afin de rappeler au fils du généreux Ulysse qu'il fallait revenir. Elle trouva Télémaque et le fils de Nestor étendus dans le vestibule du noble Ménélas. Le fils de Nestor s'abandonnait à un doux sommeil, mais Télémaque était réveillé et était soucieux pour son père dans la nuit divine. Athéna aux yeux d'aigue-marine lui dit :

— Télémaque, il ne te convient plus de courir à l'aventure si loin de ta maison, en abandonnant tes biens à des gens si arrogants. Crains qu'ils ne te mangent toute ta fortune, pendant ce voyage inutile. Demande au plus vite à Ménélas au bon cri de guerre de te renvoyer pour que tu retrouves encore chez toi ta mère sans défaut. Car déjà son père et ses frères la

189

poussent à épouser Eurymaque. C'est lui qui l'emporte sur tous les prétendants par ses présents et ses cadeaux de mariage. Écoute encore autre chose : l'élite des prétendants t'attend en embuscade dans le détroit entre Ithaque et les falaises de Samé ; ils veulent te tuer avant ton retour dans ta patrie. Maintiens le cap de ton bateau au large des îles et navigue de nuit. Celle des divinités immortelles qui te protège et te garde t'enverra un bon vent arrière. Dès que tu toucheras le bout du cap d'Ithaque, envoie ton bateau et ton équipage à la cité ; toi, va rejoindre au plus vite le porcher fidèle. Passe la nuit chez lui et envoie-le en ville annoncer à la très sage Pénélope que tu es revenu sain et sauf.

Puis Athéna s'envola vers le haut Olympe.

Télémaque poussa du pied le fils de Nestor pour le réveiller et lui dit :

— Réveille-toi, Pisistrate, place sous le joug les chevaux aux sabots solides et attelle-les au char pour que nous nous mettions en route !

— Télémaque, répondit Pisistrate, il n'est pas possible, même si nous sommes pressés, de partir dans une nuit aussi sombre. Demain il fera jour. Reste jusqu'à ce que l'Atride Ménélas à la lance glorieuse vienne t'apporter des cadeaux à emporter sur le char et te dise adieu avec des paroles aimables ; l'hôte se souvient à jamais de l'homme qui l'a reçu avec bonne amitié.

Ainsi parlait-il et voici que l'Aurore au trône d'or apparut. Ménélas au bon cri de guerre quitta le lit et Hélène aux beaux cheveux, et vint les rejoindre. Dès qu'il le vit, le fils d'Ulysse se dépêcha de revêtir sa tunique luisante, de jeter une cape sur ses épaules puissantes et de lui dire :

— Atride Ménélas, élevé par Zeus, Maître du peuple, maintenant il est temps de me renvoyer dans ma patrie ; maintenant mon cœur aspire à rentrer chez moi.

— Télémaque, lui répondit Ménélas, je ne te retiendrai pas ici plus longtemps si tu désires le retour ; mais attends mes cadeaux, attends que je dise aux femmes de nous préparer un repas au palais en prenant sur les réserves.

Puis il descendit dans la chambre forte aux bois odorants ; une fois arrivé dans la resserre aux trésors, l'Atride en tira une coupe à deux anses et fit prendre à son fils un cratère en argent. Hélène, elle, se tenait devant les coffres où étaient conservés les voiles tout brodés qu'elle avait tissés elle-même. Elle en prit un, le plus grand, aux broderies les plus belles, qui étincelait comme un astre ; il était tout au fond, sous les autres.

Ils vinrent retrouver Télémaque. Ménélas lui remit la coupe et le cratère. Hélène aux belles joues s'approcha, portant le voile et dit :

— Voici, mon enfant, mon cadeau, souvenir des mains d'Hélène, que tu donneras à ton épouse pour le jour désiré du mariage. Dis-moi adieu et pars pour ta maison solide et ta patrie.

Télémaque en fut content et le héros Pisistrate les plaça dans la nacelle du char.

Après le repas, Télémaque et le noble fils de Nestor attelèrent les chevaux, montèrent dans le char aux vives couleurs et le guidèrent hors du porche et du portique sonore. Un aigle alors prit son vol sur la droite, tenant dans ses serres une oie énorme, blanche. À sa vue, ils se réjouirent et la chaleur de la joie envahit leur cœur. Hélène fut la première à parler :

— Écoutez-moi ; je vais prédire l'avenir, tel que les Immortels me l'inspirent et tel qu'il se réalisera. Comme cet aigle, surgissant de son repaire des montagnes, a enlevé cette oie domestique, de même Ulysse après bien des malheurs et bien des errances reviendra et se vengera. Peut-être même qu'il est déjà chez lui, préparant le malheur de tous ces prétendants.

Télémaque plein de raison lui répondit :

— Que Zeus nous l'accorde.

Sur ces mots il donna du fouet sur l'attelage et ils s'engagèrent dans la plaine.

Toute la journée les chevaux secouèrent le joug qui les unissait. Le soleil se coucha, toutes les rues se remplissaient d'ombre. Ils arrivèrent à Phères où ils passèrent la nuit.

Quand parut, fraîche éclose, l'Aurore aux doigts de rose, ils attelèrent et rapidement atteignirent le haut bourg de Pylos. Alors Télémaque dit au fils de Nestor :

— Pourrais-tu me faire une promesse ? Nous nous flattons d'être définitivement des hôtes, par l'amitié de nos pères et parce que nous sommes du même âge. Ce voyage encore nous rapproche ; nous nous entendons bien. Ne me conduis pas ailleurs qu'à mon bateau et laisse-moi là. Évitons que l'Ancien ne me retienne par amitié malgré moi dans sa maison : il me faut partir au plus vite.

Le fils de Nestor réfléchit en son cœur à la façon d'accomplir cette promesse : conduire directement l'attelage au bateau rapide et au rivage de la mer lui sembla le meilleur.

Il entassa sur la proue les présents magnifiques, vêtements, or, cadeaux de Ménélas, et dit :

— Dépêche-toi d'embarquer avec ton équipage, avant que je sois arrivé à la maison et que je donne la nouvelle à mon père. Je sais bien quel est son naturel emporté, il viendra te chercher ici et ne repartira pas sans toi. En tout cas, quelle colère !

Sur ces mots il fouetta ses chevaux à la belle robe et repartit vers Pylos. Télémaque donna ses ordres à l'équipage :

— Rangez les agrès dans le bateau à coque noir, compagnons ; embarquons, en route !

Ils lui obéirent, embarquèrent et s'assirent à leur banc de nage. On largua les amarres. Télémaque dirigeait la manœuvre. On dressa le mât en bois de pin et on le fixa dans son logement au milieu de la poutre maîtresse, on tendit les haubans, on hissa la voile blanche avec les drisses de cuir.

Athéna aux yeux d'aigue-marine leur envoya un vent favorable soufflant avec violence sur la mer, pour qu'au plus vite leur bateau dans sa course traverse les flots salés. Le soleil se coucha. Le bateau filait sous le bon vent de Zeus. Puis Télémaque mit le cap sur les îles

Pointues, remuant ses pensées en son cœur : échap-
perait-il à la mort, serait-il pris ?

Pendant ce temps, dans la cabane, Ulysse et le brave
porcher soupaient tous les deux, les autres de leur
côté. Quand on eut chassé la soif et la faim, Ulysse
prit ainsi la parole :

— Écoutez-moi, Eumée, et vous tous, compagnons !
Je veux aller au bourg, demain dès l'aurore, pour mendier et ne plus vous gêner. Explique-moi bien et
donne-moi un guide sûr. J'irai ici ou là dans la ville,
voir si l'on me tend coupe et pain. Si j'arrive au palais
divin d'Ulysse, je pourrai annoncer la nouvelle à la
très sage Pénélope et me mêler aux prétendants
arrogants. Ils me donneront à souper, puisqu'ils ont
des vivres à profusion. Moi, je suis capable d'exécuter
toutes les tâches qu'ils voudront. Grâce à Hermès
Messager, personne ne me dépasse pour le service. Je
sais préparer le feu, fendre les bûches bien sèches,
trancher la viande, la griller, verser le vin, tout ce
qu'un subalterne fait pour les riches.

Tu en fus accablé, porcher Eumée, et tu dis :

— Hélas, mon hôte, qui t'a mis cette idée en tête ?
Est-ce que vraiment tu tiens à mourir sur place en
voulant fréquenter la troupe des prétendants ? Leur

brutalité, leur violence vont jusqu'au ciel de fer. Leurs serviteurs ne te ressemblent pas ; ils sont jeunes, bien vêtus de manteaux et de tuniques, la chevelure luisante, avec de beaux visages. Les tables bien raclées croulent sous le pain, la viande et le vin. Reste donc, personne ne te reproche d'être là. Attends que revienne le fils d'Ulysse, il te revêtira d'un manteau, d'une tunique et de vêtements puis te fera conduire où ton cœur le désire.

Ulysse l'endurant lui répondit alors :

— Puisque tu me pousses à rester ici, parle-moi de la mère du divin Ulysse et de son père qu'il a laissé dans la vieillesse, ce seuil de la vie. Vivent-ils encore sous les rayons du soleil ou sont-ils déjà morts et partis dans la demeure d'Hadès ?

— Je m'en vais te parler tout franchement, dit Eumée. Laerte vit encore, mais il prie sans cesse Zeus de retirer la vie de ses membres ; c'est qu'il souffre terriblement de l'absence de son fils et de la mort de son épouse. Il en est vieilli avant l'âge. Son épouse est morte de douleur de la perte de son fils glorieux. Moi, tant qu'elle était là, j'aimais bien aller la trouver et parler, parce que j'avais été élevé en même temps que sa fille aînée. Quand cette dernière se maria avec un homme de Samé, je fus vêtu de neuf et envoyé aux champs. Maintenant, la maîtresse ne peut rien m'apprendre d'agréable, depuis que ces prétendants arrogants se sont abattus sur notre maison ! Les serviteurs pourtant ont bien besoin d'aller parler avec la maîtresse, de lui poser des questions sur tout, de manger, de boire et de rapporter aux champs un petit quelque chose qui réchauffe le cœur.

Ulysse plein de ruse lui répondit alors :

— Hélas, étais-tu encore petit quand tu as été entraîné loin de ta patrie et de tes parents ? Était-ce après le pillage de la cité où habitaient ton père et ta mère ? Est-ce que des pirates t'ont capturé auprès de tes moutons ou de tes bœufs pour te vendre un bon prix à la maison de cet homme ?

— Mon hôte, dit Eumée, puisque tu me poses des questions, écoute-moi en silence, prends du bon temps, bois ton vin, reste assis. Ces nuits sont sans fin. Il est un temps pour dormir, un temps pour se réjouir à entendre des histoires. Il ne faut pas se coucher avant l'heure, un long sommeil est un ennui. Il y a une île du nom de Syros, vers le couchant, pas trop peuplée, mais riche en bœufs, en moutons, avec beaucoup de vignes et de blé. Ni famine, ni maladies ; quand les gens vieillissent dans la cité, Apollon à l'arc d'argent, avec Artémis, survient et les atteint de ses douces flèches. Mon père régnait sur les deux cités de l'île. Mais arrivèrent les Phéniciens aux bons navires, des rapaces, dont le bateau noir était chargé de pacotille. Or, il y avait dans la maison de mon père une belle et grande Phénicienne, excellente ouvrière. Ces finauds la séduisirent. Comme elle allait laver le linge l'un d'entre eux la prit près de la coque du bateau. Il lui proposa ensuite :

« Ne voudrais-tu pas revenir chez toi pour revoir la haute maison de ton père et de ta mère et les revoir eux aussi ? Ils vivent encore et on les dit riches.

— D'accord, répondit la femme, si vous me garantissez par serment de me ramener chez moi saine et sauve. Silence maintenant ! Que personne ne m'adresse la parole ni dans la rue, ni à la fontaine, que mon maître n'ait pas de soupçon ! Mais quand votre bateau sera rempli de vivres, portez-moi vite la nouvelle à la maison. J'apporterai aussi de l'or, tout ce qui me tombera sous la main. Je veux encore vous livrer autre chose ; j'élève l'enfant de cet homme dans son palais ; il est très éveillé, toujours à me suivre quand je sors. Je pourrai vous l'amener au bateau, il vous rapportera gros. »

Ils restèrent là l'an durant, entassant les provisions dans leur cale. Quand elle fut pleine, ils prévinrent la femme. Ils envoyèrent un malin, avec un collier d'or et d'ambre. Les servantes et ma digne mère examinaient, palpaient le collier, discutaient le prix. L'homme fit un signe de tête en silence. La femme me prit la main et sortit avec moi. Elle trouva dans l'entrée les coupes et les tables laissées par les convives. Elle y rafla trois coupes et les cacha sous sa robe. Nous courons au mouillage des Phéniciens, nous embarquons et voguons pendant six jours. Le septième jour Artémis l'archère abattit la femme ; elle s'écroula à grand bruit dans le creux de la cale comme une mouette ; on la jeta en pâture aux phoques et aux poissons. Le vent et les courants nous approchèrent d'Ithaque où Laerte m'acheta.

Ulysse, élevé par Zeus, alors lui dit :

— Eumée, vraiment tu m'as bouleversé le cœur en me racontant tous tes malheurs, mais Zeus t'a donné d'arriver dans la maison d'un homme bienveillant qui te fournit nourriture et boisson avec largesse.

C'est ainsi qu'ils parlaient puis ils s'endormirent pour peu de temps. Car très vite se leva l'Aurore au trône d'or.

Arrivés près d'Ithaque, les compagnons de Télémaque amenèrent les voiles, abattirent le mât, se mirent aux rames vers le mouillage, jetèrent les pierres d'ancre, attachèrent les amarres de proue. L'équipage prit son repas sur la plage et Télémaque leur dit :

— Vous, conduisez le bateau à coque noire jusqu'au port, moi je vais aller aux champs voir les bergers.

L'équipage embarqua et s'assit aux bancs de nage. Télémaque attacha ses sandales, saisit la forte lance munie d'un bronze aigu et ses pieds le portèrent vers la porcherie d'Eumée.

COLÈRE DES PRÉTENDANTS AU RETOUR DE TÉLÉMAQUE

Dans la cabane, Ulysse et le brave porcher prépa-raient le déjeuner du matin, dès l'aurore, en allumant le feu. Comme Télémaque approchait, les chiens lui firent fête, sans aboyer. Ulysse les vit et entendit le bruit des pas :

— Eumée, on vient ; un ami ou une connaissance car les chiens n'aboient pas, ils lui font fête.

Il n'avait pas encore fini de manger que son fils se dressa dans la porte. Le porcher en laissa tomber la jatte dans laquelle il mélangeait le vin couleur de feu. Il se précipita au-devant de son maître. Il lui embrassait la tête, les yeux, les deux mains, pleurait, comme un père qui accueille un fils chéri au bout de dix ans d'absence. Il lui prit la lance des mains. Télé-maque franchit le seuil de pierre et Ulysse fit un

201

mouvement pour lui céder le banc. Mais Télémaque l'arrêta :

— Reste assis, étranger, il y a d'autres bancs dans la cabane.

Le porcher leur servit des plateaux de viande grillée, leurs restes de la veille ; il remplit les corbeilles de pain et mélangea dans une cuvette le vin sucré au miel. Quand on eut chassé la soif et la faim, Télémaque s'adressa au brave porcher :

— Eh bien, l'oncle, d'où vient cet étranger ? Quel équipage l'a débarqué en Ithaque ?

Tu lui répondis, porcher Eumée :

— Il prétend qu'il est originaire de la vaste Crète, qu'il a roulé de ville en ville, qu'il s'est enfui d'un bateau thesprote. Je te le remets : il veut être ton suppliant.

Télémaque, en garçon avisé, lui rétorqua :

— Eumée, tes paroles me blessent, comment pour-rais-je accueillir cet hôte à la maison ? Je suis trop jeune et incapable de résister à qui m'agresse. Quant à ma mère, elle est partagée : rester auprès de moi et gérer la maison en respectant le lit de son époux et l'opinion publique ou suivre dès maintenant le meil-leur prétendant, parmi les Achéens ? Je vêtirai l'étran-ger, je le ferai reconduire, je vous enverrai à la cabane des vêtements et de quoi manger. Mais je ne veux pas qu'il aille auprès des prétendants. Leur brutalité dépasse toute limite. Il est difficile d'avoir gain de cause, pour brave que l'on soit, quand on est seul contre une foule ; ils sont bien plus forts.

L'endurant Ulysse alors lui répondit :

— Ami, je peux te le dire, je me ronge le cœur à vous entendre raconter les méfaits des prétendants dans la maison ; dis-moi, est-ce volontairement que tu te laisses faire ou l'opinion publique est-elle contre toi ? N'as-tu pas de frères pour t'appuyer ? C'est à eux que l'on peut faire confiance pour combattre, même si la lutte est grave. Si seulement j'avais ta jeunesse, si j'étais le fils d'Ulysse ou Ulysse en personne, même si j'étais seul, écrasé sous la foule, je préférerais mourir dans ma maison plutôt que d'y contempler sans cesse ces scènes honteuses !

Télémaque, en garçon avisé, lui rétorqua :

— Ce n'est pas le peuple qui me déteste ni mes frères qui m'abandonnent. Nous sommes toujours fils uniques dans la famille. Mais toi, l'oncle, va prévenir Pénélope de mon retour, sans avertir aucun des Achéens. Qu'elle envoie seulement l'intendante porter la nouvelle à Laerte.

Alors le porcher se leva, noua ses sandales et s'en fut vers la cité.

Dès qu'Athéna l'eut vu partir, elle s'approcha, semblable à une grande et belle femme, experte en travaux splendides ; elle apparut à Ulysse seul ; Télémaque ne la voyait pas. En même temps qu'Ulysse les chiens l'avaient vue mais n'aboyaient pas, en grognant ils s'écartaient dans la porcherie. Athéna fit un clin d'œil, Ulysse comprit et sortit dans la cour :

— Il est temps de parler, dit la déesse, et de ne rien cacher à ton fils. Allez à la ville tous deux, je serai constamment avec vous.

Sur ces mots Athéna le toucha de sa baguette d'or, elle le revêtit de son manteau bien lavé et de sa tunique, le grandissant et le rajeunissant. Sa peau redevint bronzée, ses joues se tendirent et une barbe bleu sombre couvrit son menton. Puis la déesse s'en retourna. Ulysse rentra dans la cabane et son fils fut pris de peur, craignant que ce ne fût un dieu :

— Tu es devenu différent, mon hôte ; tu as l'air plus jeune qu'auparavant. Tu as d'autres vêtements, une autre peau. Es-tu l'un des dieux, maîtres du vaste ciel ?

L'endurant Ulysse lui répondit :

— Je ne suis pas un dieu, je suis ton père, pour qui tu as tant de soucis et de peines !

Parlant ainsi il embrassa son fils et de ses joues coulaient les larmes qu'il avait retenues jusque-là.

Mais Télémaque n'était pas encore convaincu :

— Tu n'es pas Ulysse mon père, tu es un dieu qui m'ensorcelle pour redoubler mes pleurs. Il faut bien qu'un dieu t'aide : à l'instant tu étais un vieillard, vêtu de guenilles, maintenant tu ressembles aux dieux, maîtres du vaste ciel.

Ulysse l'inventif lui répondit alors :

— Télémaque, ne t'étonne pas trop : aucun autre ne viendra ici pour être Ulysse. C'est moi qui le suis ; après tant d'aventures je suis revenu au pays au bout de vingt ans. Mais c'est l'œuvre d'Athéna, la déesse du butin, qui peut si elle le veut tantôt me rendre semblable à un mendiant, tantôt à un homme jeune paré de splendides vêtements. Tout est facile aux dieux.

Il se rassit ; Télémaque tenait son père embrassé et pleurait. Un intense désir de sanglots les submergeait. La lumière du soleil se serait couchée sur leurs pleurs si Télémaque n'avait tout d'un coup interrogé son père :

— Qui t'a conduit en Ithaque, père ?

— De bons marins phéaciens, dit Ulysse, qui font passer les gens en détresse. Pendant mon sommeil ils m'ont déposé en Ithaque avec mes trésors qu'ils ont cachés dans une grotte. Maintenant je suis venu ici sur l'avis d'Athéna pour discuter avec toi de la mort de nos ennemis. Mais dénombre-moi les prétendants, que je sache leur nombre et leur valeur. Je verrai si à nous deux seuls nous pouvons lutter contre eux ou si nous avons besoin de renfort.

Télémaque s'exclama, en garçon avisé :

— Père, j'ai souvent entendu parler de ta gloire, de tes bras vaillants, de ton intelligence au conseil. Mais tu as parlé trop haut. S'ils n'étaient qu'une dizaine ou le double, mais ils sont beaucoup plus ! N'as-tu pas des alliés ?

— Je vais te les nommer, répondit Ulysse, écoute et comprends : est-ce qu'Athéna et Zeus Père seront suffisants ?

— Bien sûr, dit Télémaque, ce sont deux protecteurs de valeur, ceux dont tu parles, mais ils siègent bien haut, dans les nuages ; car ils commandent aux autres, héros et dieux immortels.

L'endurant Ulysse lui répondit :

— Dans peu de temps, ils seront avec nous dans la mêlée brutale. Dès l'aurore, rentre à la maison retrouver ces arrogants prétendants. Moi, plus tard, le porcher me conduira au bourg, semblable à un misérable mendiant, à un vieux. Si l'on me maltraite dans la maison, que ton cœur le supporte dans ta poitrine, même si l'on me tire par les pieds dehors, si on me jette des pierres. Le jour du destin est proche pour eux. Ne dis rien à Laerte ni à Pénélope. Nous deux seuls devons éprouver la droiture des femmes et rechercher nos fidèles parmi les serviteurs.

Tandis qu'ils parlaient, le bateau solide qui avait ramené de Pylos Télémaque et son équipage arrivait. Une fois au fond du port, ils tirèrent le bateau à la coque noire sur la terre ferme et rangèrent les agrès. Puis ils envoyèrent un héraut rassurer Pénélope. Le brave porcher le rencontra comme ils allaient tous deux chez la reine. Quand ils furent au palais, le héraut se mit à crier au milieu des servantes :

— Ton fils est revenu de Pylos !

Quant au porcher, il s'approcha de Pénélope et lui dit le message de son fils. Puis il repartit vers ses porcs.

Les prétendants furent consternés, ils sortirent de la salle et se groupèrent devant le porche dans la cour. Eurymaque, fils de Polybe, prit le premier la parole :

— Amis, ce grand exploit est accompli. Quelle arrogance que ce voyage ! Nous ne l'imaginions pas. Prévenons nos amis de rentrer.

Il parlait encore lorsque Amphinomos aperçut

justement le bateau armé pour surprendre Télémaque qui entrait en rade ; l'équipage pliait les voiles et se mettait aux rames. Souriant doucement, il dit à ses camarades :

— Plus besoin d'aller leur donner la nouvelle, les voici au port !

Se levant les prétendants descendirent à la grève et tirèrent rapidement le bateau à coque noire sur la terre ferme. Puis ils se réunirent à l'agora sans permettre à personne, jeune ou vieux, de s'asseoir avec eux.

Antinoos, le fils d'Eupeithès, s'adressa à eux :

— Hélas, les dieux ont tiré notre homme du danger ! De jour nos sentinelles se postaient sur les cimes battues des vents, sans relâche. Au coucher du soleil, nous ne passions jamais la nuit à terre, mais embarquant sur le bateau rapide, nous attendions en mer l'aurore divine, guettant Télémaque pour l'attraper et le faire mourir. Allons, préparons sa mort. Tant qu'il vivra, nous ne réussirons pas l'affaire. Agissons avant qu'il ait ameuté les Achéens en assemblée ; il va raconter, se levant au milieu de tous, comment nous avons essayé de le tuer, sans y parvenir. Le peuple va-t-il nous chasser de notre patrie ? Devançons-les en l'attrapant aux champs, loin de la cité ou sur la route.

Prenons ses biens et ses richesses en les partageant entre nous. Donnons ses maisons à sa mère et à qui l'épousera. Si vous n'êtes pas d'accord, si vous voulez qu'il vive et conserve son patrimoine, ne restons pas dans sa maison à manger son avoir ; que chacun rentre chez lui, fasse sa cour à force de cadeaux, depuis sa maison. Elle, qu'elle épouse l'homme aux plus beaux cadeaux que le destin lui amènera.

Tous se taisaient, Amphinomos alors leur parla :

— Amis, je ne suis pas d'accord pour tuer Télémaque ; il est terrible de tuer les fils de roi. Interrogeons d'abord la volonté des dieux. Si les décrets de Zeus nous approuvent, je frapperai le premier ; si les dieux nous l'interdisent, arrêtons-nous là.

Tous approuvèrent Amphinomos, se levèrent et revinrent chez Ulysse s'asseoir sur les sièges polis.

Or, le héraut Médon avait appris leur dessein à Pénélope. La reine se présenta alors devant les prétendants, entourée de ses suivantes, et interpella Antinoos :

— Antinoos, brutal, cause de tous mes malheurs, on dit dans le peuple d'Ithaque que tu es le meilleur de ceux de ton âge pour le conseil et l'éloquence ; mais ce n'est pas vrai. Fou furieux, c'est toi qui veux la mort de

Télémaque ? Ne sais-tu pas que ton père est venu ici même pour échapper au peuple en fureur ? Il avait lancé une expédition de pirates contre nos amis thesprotes ; on voulait le tuer, lui arracher le cœur, se partager ses biens, vastes à en contenter plus d'un. Ulysse les retint et arrêta leur assaut. Et toi tu dévores sa maison, tu courtises sa femme, tu veux tuer son fils !

Eurymaque, fils de Polybe, lui répondit :

— Fille d'Icare, très sage Pénélope, rassure-toi ; il n'existe pas, il n'existera pas, il ne peut exister, l'homme qui portera la main sur Télémaque, ton fils, moi vivant, car Ulysse le preneur des villes m'a souvent fait asseoir sur ses genoux pour me faire manger, me donner à boire. Et Télémaque est pour moi de loin le plus cher des hommes.

Il disait cela pour l'apaiser, mais par-derrière il préparait la mort de son fils.

Or, le soir, le brave porcher vint rejoindre Ulysse et son fils. Ces derniers apprêtaient pour le repas un porcelet d'un an. Athéna avait touché de nouveau de sa baguette le fils de Laerte et l'avait transformé en vieillard. Elle avait craint que le porcher ne pût se retenir d'aller porter la nouvelle à la sage Pénélope.

Eumée leur raconta que sur le chemin du retour il avait aperçu un bateau qui rentrait au port, chargé d'hommes armés du bouclier et de la lance à deux pointes. Il pensait que c'était le bateau des prétendants. Télémaque sourit en jetant un coup d'œil à son père, à l'insu du porcher. Chacun eut sa part du repas. Ils pensèrent alors à leurs lits et s'en furent cueillir le présent du sommeil.

Toujours méconnaissable, Ulysse en sa maison

Fraîche éclose, l'Aurore aux doigts de rose se leva, Télémaque noua ses sandales et saisit sa forte lance dans son poing pour aller au bourg :

— L'oncle, dit Télémaque, je vais en ville, pour que ma mère me voie ; je crois bien qu'elle ne cessera pas ses pleurs, ni ses sanglots ni ses larmes, avant de m'avoir revu. Toi, conduis à la ville le malheureux étranger, qu'il aille y mendier son repas. Qui voudra lui donnera, qui du pain, qui une coupe : je ne peux me charger des malheurs de toute l'humanité.

Ulysse plein de ruse lui répondit :

— Ami, je n'ai pas envie d'être retenu ici. Cet homme me guidera, sur ton ordre, une fois que je me serai chauffé au feu et que le soleil sera chaud. Mes vêtements sont si mauvais ; j'ai peur que la gelée du matin ne m'accable ; le bourg est loin, selon vous.

Télémaque, quant à lui, partit à pas rapides. Il arriva à la confortable demeure, appuya sa lance à une grande colonne et passa le seuil de pierre.

La première à l'apercevoir fut la nourrice Euryclée, comme elle étendait des toisons sur les fauteuils bien travaillés. Puis la très sage Pénélope sortit de sa chambre ; en pleurant elle serra son fils dans ses bras, lui embrassant la tête et les yeux. Télémaque lui raconta son voyage, l'accueil de Nestor et de Ménélas, et la beauté d'Hélène.

Cependant les prétendants jouaient au lancer de disques ou de javelots devant la maison d'Ulysse, sur le sol de terre battue, avec leur violence habituelle. Ce fut l'heure du repas. Les moutons vinrent de partout, de la campagne, menés par les bergers. Alors Médon, le héraut préféré des prétendants qui mangeait avec eux, les avertit :

— Jeunes gens, vous vous êtes amusés à ce jeu ; rentrez maintenant à la maison pour que nous préparions le repas : ce n'est pas mauvais de dîner à l'heure !

Eux se lèvent, écoutent son avis et, une fois rentrés au bon logis, jettent leurs manteaux sur les lits et les fauteuils, abattent des moutons, des chèvres grasses, des porcs, une vache du troupeau, pour apprêter le repas.

De leur côté Ulysse et le brave porcher se préparaient pour se rendre en ville. Le chef porcher invita Ulysse au départ :

— Étranger, tu désires te rendre en ville aujourd'hui, comme me le disait mon maître. Moi, je t'aurais bien gardé comme garçon d'étable, mais les reproches des maîtres sont toujours désagréables. Allons, le jour est derrière nous ; le soir qui vient sera froid.

— J'ai compris, dit Ulysse, allons. Mais avant, si tu as un gourdin tout coupé, donne-le-moi pour que je m'appuie dessus, la route est périlleuse, me dis-tu.

Ils partirent tous les deux, le porcher conduisant le Maître, semblable à un malheureux mendiant, à un vieillard. Quand, en descendant par la route escarpée, ils furent proches du bourg, ils arrivèrent à la fontaine d'eau courante où les citadins viennent puiser l'eau. Entourée d'un bois de peupliers d'eau formant cercle, son eau froide dévale du rocher en cascade ; elle est surmontée d'un autel dédié aux Nymphes où tous les passants déposent leur offrande. Là, ils rencontrèrent Mélanthios, le chevrier ; dès qu'il les aperçut il les injuria :

— Voilà un pauvre gueux qui en conduit un autre ! Où conduis-tu ce parasite, porcher lamentable ? Il va user ses épaules à tous les chambranles ! Si tu me le donnais comme gardien d'étable, pour charrier le fumier, porter la verdure aux chevreaux ? À boire le petit-lait, il s'endurcirait les cuisses. Mais il ne connaît que les mauvais coups, il ne veut pas se mettre au travail ; ce qu'il veut, c'est aller mendier dans le pays de quoi remplir son ventre de goinfre.

Il dit cela et, passant à côté de lui, avec brutalité il lui décocha un coup de pied à la hanche, mais il ne réussit pas à bousculer Ulysse hors du sentier. Ulysse hésita à bondir sur lui et à l'assommer d'un coup de gourdin ou à lui briser la tête contre le sol, mais il se contint. Le porcher se dressa et injuria Mélanthios. Le chevrier répliqua :

— Un jour, moi, sur un bateau noir bien ponté, je t'emmènerai loin d'Ithaque, et j'obtiendrai de toi un bon prix !

Sur ces mots il s'éloigna à grands pas. Ulysse et le porcher le suivirent, à leur train. Une fois arrivés devant la maison, ils s'arrêtèrent tous deux et s'éleva autour d'eux le son de la cithare creuse, car Phémios commençait à chanter.

— Eumée, dit Ulysse, cette belle maison, c'est

certainement celle d'Ulysse. Elle est facile à reconnaître entre toutes. La cour est bordée d'un mur hérissé de pointes ; la porte est munie de deux barres ; personne ne pourrait la forcer. J'ai l'impression qu'on y sert un festin pour de nombreux convives ; il y a de la fumée à l'intérieur, et on entend résonner la cithare que les dieux ont donnée pour compagne aux festins.

C'est ainsi qu'ils échangeaient ces propos. Alors un chien étendu là dressa tête et oreilles, c'était Argos, le chien du patient Ulysse, qu'il avait élevé lui-même sans en profiter avant de partir pour la sainte Ilios. Les jeunes prétendants le lâchaient à courre les mouflons, les faons, les lièvres ; maintenant il était étendu là, délaissé en l'absence du Maître, sur un gros tas de fumier de mulets et de bœufs, devant le portail. Les ouvriers d'Ulysse venaient y prendre de l'engrais pour fumer le grand domaine. C'est là qu'Argos était couché, couvert de tiques. Quand il aperçut Ulysse qui s'approchait, il remua la queue et baissa les deux oreilles, mais il n'eut pas la force de s'approcher de son maître. Ulysse, à sa vue, essuya une larme à la dérobée :

— Eumée, ce chien couché sur le fumier est bien étonnant ; il a une belle allure, mais était-il aussi rapide que beau ou était-ce simplement un de ces

chiens d'appartement que les rois entretiennent pour
la parade ?

Tu lui répondis alors, porcher Eumée :

— C'est le chien de cet homme qui est mort loin
d'ici. S'il avait encore l'allure et l'activité qu'il avait
quand Ulysse l'a laissé pour partir pour la Troade !
Aucune bête sauvage ne lui échappait au plus profond
de la forêt. Maintenant il est malade, son maître est
mort en pays étranger, les femmes ne le soignent pas.
Quand le maître n'est pas là, les serviteurs ne mon-
trent plus de sérieux.

Il dit et entra dans la confortable demeure. Mais
l'ombre de la mort avait enveloppé Argos, qui venait de
revoir Ulysse, après vingt ans.

Ulysse était demeuré à la porte. Il s'assit sur le seuil
en bois de frêne. Télémaque dit au porcher, après avoir
empli de pain et de viande la coupe de ses deux mains :

— Va porter cela à notre hôte et pousse-le à qué-
mander auprès de chaque prétendant. La fierté ne
sied pas quand on est dans le besoin.

Ulysse posa viande et pain sur sa vilaine besace et
remercia :

— Zeus souverain, puisse Télémaque être heureux
entre tous les hommes et obtenir tout ce que son cœur
désire !

Puis il se mit à manger, tandis que l'aède chantait dans la salle. Quand il eut fini, le divin aède avait fini aussi ; les prétendants menaient grand bruit dans la salle.

Alors Ulysse commença à mendier, auprès de chacun, en tendant la main de tous côtés, comme s'il avait été mendiant de profession. Par pitié on lui donnait, tout en se demandant qui il était et d'où il venait.

Le chevrier Mélanthios leur dit :

— Écoutez-moi, prétendants d'une reine très illustre ! À propos de cet étranger, je l'ai vu tout à l'heure. C'est le porcher qui le guidait, mais je ne sais pas de quelle famille il se réclame.

Alors Antinoos s'en prit au porcher :

— Porcher trop bien connu, pourquoi amener cet homme en ville ? N'avons-nous pas assez de vagabonds, de mendiants, de parasites ?

Eumée répliqua :

— Antinoos, on ne parle pas ainsi quand on est un noble. Entre tous les prétendants tu es toujours agressif à l'égard des serviteurs d'Ulysse, surtout à mon égard, mais je ne m'en soucie pas, tant que la sage Pénélope et que Télémaque beau comme un dieu demeurent dans cette maison.

Télémaque intervint :

— Antinoos, tu as souci de moi comme un père de son fils : tu veux que je chasse l'étranger de ma maison. Non, plutôt, donne-lui à manger toi ; je ne t'en voudrai pas, et même, je te le demande. Mais ce n'est pas ta véritable pensée : tu préfères de loin te goinfrer plutôt que de donner à autrui.

Antinoos répliqua :

— Télémaque, grand discoureur, un peu de retenue ! Si tous les prétendants imitaient mon geste… il resterait loin de cette maison pendant trois mois !

Tout en parlant il tirait de sous la table le tabouret sur lequel il reposait ses pieds luisants. Tous les autres avaient donné, la besace était pleine de pain et de viande.

Ulysse arriva à la hauteur d'Antinoos :

— Donne, mon ami. Tu n'es pas le dernier des Achéens, me semble-t-il, tu es le premier ; tu as l'allure d'un roi. Il te faut donc donner plus que les autres, et moi je chanterai tes louanges sur la terre entière. Moi aussi j'étais un riche, autrefois, et j'ai souvent donné à des mendiants. J'avais des domestiques en grand nombre et toutes les facilités de la vie qui vous font appeler « riche ». Mais Zeus, le fils de Cronos, m'a trompé. C'est lui qui m'a poussé à partir pour l'Égypte avec mes corsaires, pour me perdre. La plupart d'entre nous périrent sous le bronze aigu ; les autres, les Égyptiens les ont capturés vivants. Moi, on m'a donné à un étranger de passage qui m'emmena à Chypre. C'était le prince de l'île. J'en arrive maintenant, après bien des malheurs.

Antinoos alors s'exclama :

— Quel dieu nous a amené ce trouble-fête ? Passe au large, écarte-toi de ma table ! Ou vite tu vas retrouver l'amertume de l'Égypte ou de Chypre.

Ulysse plein de ruse recula mais dit :

— Hélas, ta pensée ne reflète pas ton apparence ! Tu n'offrirais, chez toi, pas même le sel à un suppliant, toi qui, assis dans la maison d'autrui, ne me donnes même pas de pain ; tu en as pourtant près de toi.

Antinoos alors saisit le tabouret et le lança ; il l'atteignit à l'épaule droite, en haut du dos. Ulysse encaissa le choc, ferme comme un roc. En silence il roulait en son âme des pensées de mort. Il s'en revint au seuil, s'assit, posa sa besace bien pleine et dit aux convives :

— Écoutez-moi, prétendants d'une reine très illustre. On n'a ni chagrin ni peine au cœur quand on est frappé en défendant ses biens, ses bœufs, ses moutons blancs. Mais Antinoos m'a frappé à cause de ce maudit ventre qui cause tant de maux aux hommes. Si les mendiants ont eux aussi des dieux, qu'Antinoos, avant le mariage, en arrive à la mort !

Tous les autres se fâchaient contre Antinoos et ils se disaient les uns aux autres :

— Antinoos, ce n'est pas bien de frapper un pauvre vagabond, fou furieux que tu es. Ce pourrait être un dieu du ciel. Les dieux prennent l'apparence d'étrangers d'autres contrées, ils prennent toutes les formes et inspectent les cités, examinant la violence des hommes ou leur justice.

Mais la très sage Pénélope apprit qu'un étranger avait été frappé dans la salle. Elle dit à la nourrice :

— Bonne mère, je déteste tous ces prétendants, mais cet Antinoos ressemble à l'ombre de la mort. Un malheureux étranger va mendier dans la salle et voilà qu'Antinoos lui jette un tabouret !

Pénélope appela alors à elle le brave porcher :

— Va donc, Eumée, demande à l'étranger de venir me trouver ! Peut-être a-t-il des nouvelles du malheureux Ulysse, peut-être l'a-t-il vu de ses yeux. Il a l'air d'avoir tant couru les routes.

Tu lui répondis, porcher Eumée :

— Si seulement les prétendants voulaient bien se taire ! Il enchanterait ton cœur ; je l'ai hébergé trois jours et trois nuits dans ma cabane et il n'est pas encore arrivé à la fin du récit de sa misère. C'est comme lorsque l'on écoute un aède, inspiré par les dieux, qui chante des vers admirables ; on désire sans cesse l'entendre. C'est comme cela qu'il m'a enchanté, assis dans ma salle. Il dit qu'Ulysse est son hôte héréditaire, qu'il en a entendu parler chez les Thesprotes et qu'il va rentrer.

La très sage Pénélope lui dit :

— Va, appelle-le ici, pour qu'il me parle face à face ! Les autres passent leur temps à sacrifier bœufs, moutons et chèvres grasses, à boire de compagnie le vin couleur de feu. Si seulement cela pouvait être un présage de mort pour les prétendants !

Eumée alla chercher Ulysse. Mais ce dernier répliqua :

— Je veux bien, Eumée, dire toute la vérité à la fille d'Icare, la très sage Pénélope. Mais j'ai peur de cette foule de prétendants hostiles. Je ne faisais rien de mal dans la maison et cet homme m'a frappé. Télémaque ne m'a pas défendu, ni aucun autre. Aussi demande à Pénélope, malgré sa hâte, d'attendre le coucher du soleil. Qu'elle m'interroge alors sur son mari, sur son retour, pourvu qu'elle me fasse asseoir près du feu : j'ai des vêtements de misère !

Eumée alla porter la réponse à Pénélope qui dut convenir de la sagesse du mendiant :

— L'étranger est plein de bon sens ; il n'y a jamais eu d'hommes aussi brutaux et fous furieux.

Eumée vint à Télémaque, en approchant sa tête tout près, pour n'être pas entendu des autres :

— Ami, je m'en vais aller garder les porcs et ce que nous avons là-bas, toi et moi ; toi, veille à tout ici. Mais pense surtout à ta vie, prends garde aux mauvais coups.

Télémaque, en garçon avisé, lui dit en face :

— D'accord, l'oncle ; va-t'en, car le soir vient. Mais à l'aurore reviens et ramène des bêtes pour le sacrifice. Le reste, nous y veillerons, les Immortels et moi.

QUERELLE DE MENDIANTS

Survint le mendiant en titre, qui avait l'habitude de mendier dans le bourg d'Ithaque. Il était réputé pour sa goinfrerie, sa capacité à manger et à boire sans s'arrêter. Il n'avait ni énergie ni force ; mais à première vue il était vraiment très grand. Le nom que lui avait donné sa mère était Arnée. Mais tous les jeunes gens avaient coutume de l'appeler Iros car il portait leurs messages. Il entra et tenta de chasser Ulysse de sa propre maison et se mit à l'injurier :

— Au large, vieillard, sinon je te tire par les pieds ! Ne vois-tu pas qu'ils me font tous signe des yeux de t'expulser ? Allons, debout ! Crains la bagarre !

Ulysse plein de ruse lui lança un regard de côté :

— Pauvre fou ! Je ne te fais, je ne te dis rien de mal, je ne t'empêche pas de mendier. Le seuil est assez large pour nous deux. Tu es un vagabond comme moi. Mais ne me pousse pas à la colère ! Tout vieux que je sois, je peux mettre en sang ta poitrine et tes lèvres.

Iros se fâcha et lui dit :

— Tu parles comme une vieille accroupie près du foyer ; je vais te cogner des deux poings et te faire cracher toutes tes dents par terre, tes dents de truie gloutonne. Allons, prépare-toi ! Essaie de lutter contre un plus jeune !

Tous les prétendants se levèrent et firent cercle autour des deux minables mendiants. Antinoos éclata de rire et dit :

— Écoutez-moi, nobles prétendants ; nous avons des panses de chèvres au feu, farcies de graisse et de sang. Le vainqueur en choisira une et partagera désormais notre repas. Nous ne laisserons aucun autre mendiant que lui quêter parmi nous.

On prêta le serment que personne n'irait aider Iros, pendant le combat. Ulysse alors retroussa ses loques sur son bas-ventre ; on vit ses cuisses grandes et fortes, on vit ses épaules larges, son torse et ses bras puissants. Athéna, à côté de lui, gonflait les muscles du héros. Tous les prétendants furent bien surpris :

— Dans un moment Iros, « feu Iros », va recevoir une raclée méritée.

Ainsi disaient-ils, mais le cœur manquait à Iros ; malgré tout, les serviteurs le déshabillèrent de force et l'amenèrent tout craintif ; ses muscles tremblotaient sur ses membres.

— Bouseux ! s'écria Antinoos, tu regretteras d'être né, si tu trembles si fort devant lui. Je vais te dire une chose : si ce vieillard est victorieux, je t'envoie sur le continent, sur un bateau noir, chez le roi Échétos, le plus malfaisant des humains. Il te coupera le nez, les oreilles avec le bronze coupant, t'arrachera le reste et donnera tout à déchirer, cru, aux chiens.

Mais Iros en tremblait de plus belle. On le poussa au centre. Les deux hommes tombèrent en garde. L'endurant Ulysse hésita ; fallait-il appuyer le coup et l'étendre raide sur place ? Il lui parut plus avantageux de retenir son bras pour ne pas donner l'éveil aux prétendants. Iros l'atteignit à l'épaule droite. Ulysse frappa d'un crochet sous l'oreille ; les os craquèrent, du sang rouge coula de sa bouche ; il s'écroula dans la poussière, grinçant des dents, frappant convulsivement le sol de ses pieds. Les nobles prétendants levant les bras au ciel en mouraient de rire. Ulysse le tira dehors par un pied, l'appuya au mur de la cour, lui mit son grand bâton dans la main :

— Reste assis là, éloigne porcs et chiens, ne joue plus le maître avec les étrangers et les mendiants, sinon il pourrait t'en cuire.

Ayant dit, il lui jeta sur les épaules son sac repoussant avec la corde pour bandoulière et s'en vint se rasseoir sur le seuil, et tous riaient en le félicitant. Antinoos lui porta une grande panse de chèvre et Amphinomos prit deux pains dans la corbeille et du vin dans une coupe d'or :

— Salut, étranger, bon père ; je te souhaite un retour de richesse, au milieu de tes malheurs !

— Amphinomos, répondit Ulysse plein de ruse, tu me parais être quelqu'un d'avisé et bien digne du renom de ton père. C'est pourquoi je veux te prévenir ; toi, écoute-moi et comprends-moi. L'homme est le plus faible des animaux ; tant que les Immortels le protègent, il s'imagine qu'aucun malheur ne l'atteindra ; mais quand les dieux lui envoient aussi la douleur, il ne la supporte que contraint et forcé. Moi, je vois les manèges insensés des prétendants : ils rongent les biens et outragent l'épouse d'un héros qui ne restera plus longtemps, je te le dis, éloigné des siens et de sa patrie. Il est tout proche. Toi, qu'un dieu te ramène chez toi ; ne te trouve pas en travers de sa route quand il reviendra dans sa patrie !

Il dit et fit libation puis but le vin sucré au miel et rendit la coupe à ce commandant de guerriers. Amphinomos s'en repartit le cœur affligé, en hochant la tête, pressentant le malheur dans son cœur, et se rassit dans son fauteuil.

Alors Athéna la déesse aux yeux d'aigue-marine inspira une idée à la fille d'Icare, la très sage Pénélope : se montrer aux prétendants pour que leur générosité se déploie et pour que leurs présents lui donnent plus de prix qu'auparavant aux yeux de son fils et de son mari. Avec un sourire embarrassé Pénélope s'adressa à Eurynomé, l'intendante :

— Eurynomé, j'ai le désir, pour la première fois, de paraître devant ces prétendants que je déteste toujours. J'aimerais parler à mon fils ; ce serait mieux pour lui de ne pas fréquenter sans cesse ces prétendants arrogants : discours aimables, mais en dessous, pensées de mort.

L'intendante lui répondit :

— C'est une très bonne idée, mon petit, mais d'abord baigne bien ton corps et farde tes joues, pour ne pas porter sans fin le deuil. Ton fils est maintenant à l'âge que tu souhaitais, celui de la barbe au menton.

Alors Athéna la déesse aux yeux d'aigue-marine eut l'idée de verser un doux sommeil sur la fille d'Icare ; elle se renversa en arrière, son corps se détendit et elle s'endormit sur son canapé. Cependant, la déesse la parait de ses dons immortels pour provoquer l'admiration des prétendants. Quand elle eut tout réussi, elle disparut. Les suivantes aux bras blancs survinrent et le doux sommeil abandonna la reine. Pénélope essuya ses joues et leur dit :

— Un délicat sommeil m'a enveloppée, dans ma douleur. Si seulement la sainte Artémis m'envoyait la mort, maintenant sur-le-champ !

Sur ces mots elle descendit de l'étage brillant, escortée de ses deux suivantes.

Quand Pénélope, la toute belle, arriva devant les prétendants, elle s'arrêta, debout près d'un pilier du toit ; elle ramena sur ses joues son voile brillant. À ses côtés veillaient les suivantes fidèles. Les prétendants sentirent leurs genoux se dérober sous eux, ensorcelés par le désir ; tous souhaitaient être couchés dans son lit. Pénélope s'adressa à son fils :

— Télémaque, tu n'as pas ton bon sens. Comment ! Tu as laissé ton hôte être outragé de cette façon ! Comment est-il possible qu'un hôte assis dans notre maison subisse une violence aussi cruelle ? Quelle honte, quel outrage pour toi dans le monde !

Télémaque, en garçon avisé, répondit :

— Mère, je ne peux t'en vouloir d'être en colère ; moi je réfléchis et je considère chaque chose, mais ces gens avec leurs noirs desseins m'égarent chacun de son côté. Je n'ai pas d'allié. Mais ce ne sont pas les prétendants qui ont déclenché la bagarre entre Iros et l'étranger. Zeus Père ! Athéna ! Apollon ! Si seulement les prétendants pouvaient avoir la tête brisée, les membres rompus, comme cet Iros au portail de la cour, baissant la tête comme un homme ivre, incapable de se tenir sur ses pieds !

Eurymaque s'adressa à Pénélope :

— Fille d'Icare, très sage Pénélope, si tous les Achéens te voyaient, dès demain à l'aurore, des prétendants bien plus nombreux encore viendraient banqueter dans cette salle ! Tu l'emportes sur toutes les femmes par la beauté, l'allure et la perfection de l'esprit.

— Eurymaque, répondit Pénélope, mon mérite, ma beauté, mon allure, tout cela les Immortels l'ont anéanti, quand les Achéens se sont embarqués pour Ilios et avec eux mon mari Ulysse. Quand il m'a quittée, il m'a pris la main droite au poignet et m'a dit : « Femme, je ne pense pas que les Achéens aux bonnes jambières reviennent tous sains et saufs de Troade. On dit les Troyens bons soldats, bons lanciers, bons archers, menant ces attelages rapides qui sont un atout décisif dans les grandes querelles de guerre. Je ne sais si le dieu me fera revenir ici ou périr en Troade. Veille à tout ici, prends soin de mon père, de ma mère, encore plus que maintenant, puisque je serai loin. Mais quand tu verras que notre fils a de la barbe au menton, marie-toi à qui tu voudras et quitte cette maison. » C'est ainsi qu'il parlait et la nuit va venir, nuit odieuse où mon mariage s'accomplira. Ce n'était pas la coutume des prétendants d'autrefois. Quand on veut faire sa cour à une femme de noble maison, fille d'un riche seigneur et rivaliser avec les autres, on amène des vaches, de gras moutons, on donne de précieux cadeaux, on ne mange pas impunément le bien d'autrui.

Ulysse, à part lui, en fut ravi : il avait compris qu'elle les berçait de paroles de miel, mais qu'elle avait un autre dessein, leur soutirer des présents.

Antinoos alors déclara :

— Fille d'Icare, très sage Pénélope, les cadeaux que chacun des Achéens va t'apporter à sa guise, accepte-les, il n'est pas bien de refuser un présent.

Chacun alors envoya son héraut rapporter des présents de chez lui. Celui d'Antinoos rapporta un grand voile au tissu parfait, brodé, avec douze agrafes toutes en or, ajustées à des boucles savamment recourbées. Celui d'Eurymaque apporta une torsade en or, avec des grains d'ambre comme un soleil. Deux serviteurs apportèrent à Eurydamas des pendants d'oreille, à trois brillants, assemblés en grappe. Le serviteur du prince Pisandre, fils de Polyctor, apporta un tour de cou, parure parfaite. Chacun apportait son beau présent. Pénélope, la toute belle, regagna son étage ; les servantes portaient les cadeaux magnifiques.

Les prétendants ensuite, se livrèrent à la danse et au plaisir du chant, en attendant le soir ; ils étaient encore en fête quand vint l'obscurité de la nuit. Avec des bûchettes de bois sec on dressa trois torchères dans la salle, pour éclairer, et on y ajouta des torches ; les servantes d'Ulysse se relayaient pour les ranimer. Ulysse plein de ruse s'adressa à elles :

— Servantes d'Ulysse, du maître si longtemps absent, retournez dans le logement de la reine ; moi, j'entretiendrai la lumière pour tous ces gens, même s'ils veulent attendre l'Aurore au beau trône.

Elles éclatèrent de rire, en se jetant des coups d'œil. Mais Athéna voulait que le ressentiment pénétrât le cœur d'Ulysse, fils de Laerte. Aussi Eurymaque fils de Polybe commença à se moquer d'Ulysse et à faire rire les autres :

— Écoutez-moi, prétendants de la reine très illustre ; ce sont les dieux qui ont conduit cet homme chez Ulysse : l'éclat des torches semble se refléter sur son crâne, plus un cheveu, pas même un duvet ! Ne voudrais-tu pas, étranger, devenir ouvrier agricole, au bout de l'île, avec un salaire assuré, pour dépierrer les champs et planter des arbres ? Mais tu ne connais que les mauvais coups, tu refuses le travail, tu préfères aller mendier dans le pays pour remplir ton ventre de goinfre !

Ulysse répliqua :

— Eurymaque, si nous nous lancions dans un concours de travail ? Au printemps, quand les jours sont longs, dans l'herbe haute, j'aurais ma faucille courbe et toi aussi ; nous faucherions sans manger jusqu'à la tombée du soir, tant qu'il y aurait de l'herbe. Ou encore, si nous poussions des bœufs, des bêtes de choix, couleur de feu, de grands bœufs, bien nourris de foin, de même âge, même force, même puissance irrésistible ; tu verrais si le soc de la charrue tracerait un sillon droit. Et si c'était la guerre ? Si j'avais un bouclier, deux javelines, un casque tout en bronze, bien ajusté aux tempes, tu me verrais au premier rang, mêlé aux combattants et tu ne te moquerais plus de mon ventre ! Tu te crois grand et fort, mais si Ulysse revenait, le portail même bien large te paraîtrait étroit dans ton ardeur à t'enfuir !

Eurymaque alors saisit un escabeau, mais Ulysse s'accroupit aux pieds d'Amphinomos de Doulichion et Eurymaque atteignit l'échanson au bras droit ; il lâcha la cruche qui résonna sur le sol, poussa un gémissement et s'écroula dans la poussière. Les prétendants s'exclamèrent, dans la salle pleine d'ombre, et chacun disait à son voisin :

— Cet étranger aurait dû disparaître ailleurs, au lieu de venir ici. Il ne nous aurait pas attiré tout ce trouble. Maintenant nous nous querellons pour des mendiants. Quel plaisir dans un festin où règne la grossièreté !

Télémaque, dans toute sa vigueur, leur dit alors :

— Pauvres fous, vous ne supportez plus nourriture ni boisson. Vous avez bien mangé, rentrez dormir chez vous, quand vous voudrez, moi je ne vous chasse pas.

Tous serrèrent leurs dents sur les lèvres, étonnés d'entendre Télémaque parler avec tant de hardiesse. Amphinomos intervint :

— Amis, quand on est touché par un juste propos, on ne devrait pas répliquer avec des insultes. Ne frappez ni l'étranger, ni aucun des serviteurs d'Ulysse. Que l'échanson remplisse nos coupes et rentrons nous coucher. Laissons Télémaque s'occuper de l'étranger, puisqu'il est venu dans sa maison.

Après avoir fait libation aux dieux bienheureux, ils burent le vin sucré au miel et s'en retournèrent dormir chacun dans sa maison.

SANS SE FAIRE RECONNAÎTRE, ULYSSE REJOINT PÉNÉLOPE

Ulysse demeurait dans la grand-salle et songeait à la mort des prétendants. Il dit alors à Télémaque ces mots, comme des flèches ailées :

— Télémaque, il faut déplacer toutes les armes, en bernant les prétendants de belles paroles : « Je les ai mises à l'abri de la fumée ; elles ne ressemblent plus à ce qu'elles étaient au départ d'Ulysse pour la Troade, la suie les recouvre. De plus, je ne voudrais pas qu'un jour d'ivresse vous vous blessiez pour une querelle et gâchiez le festin et le rite de cour : le fer attire l'homme, de lui-même. »

Télémaque obéit à son père et demanda à la nourrice Euryclée d'enfermer les femmes dans leur logement. L'étranger lui porterait la torche. La nourrice s'en fut et Ulysse bondit ; avec son fils ils portaient

236

casques, boucliers bombés, lances pointues, et devant eux Pallas Athéna portait une lampe d'or qui répandait une merveilleuse lumière. Télémaque s'en étonna :

— Père, grand miracle ! les murs de la salle, la poutre maîtresse, le plafond de pin, les hauts piliers ont l'air de briller d'une flamme ardente. Il y a là un dieu, un des maîtres du vaste ciel.

— Tais-toi et contrôle-toi, répondit Ulysse. C'est la manière de faire des dieux, maîtres de l'Olympe. Mais va te coucher. Moi je reste ici pour mettre ta mère à l'épreuve.

Ulysse resta seul. Déjà la très sage Pénélope descendait de sa chambre. Les servantes qui l'accompagnaient tirèrent une chaise près du feu et elle s'assit. Elle demanda à Euryclée un siège avec une toison et invita Ulysse à s'y asseoir. Puis elle l'interrogea sur son nom, sa famille, son peuple et sa cité.

Ulysse plein de ruse lui fit cette réponse :

— Femme, tu as raison de m'interroger. Ta réputation atteint le vaste ciel comme celle d'un roi sans reproche qui respecte la justice. La terre noire porte pour toi le blé et l'orge, tes arbres croulent sous les fruits, tes troupeaux grandissent, la mer bien exploitée t'offre ses poissons. Ton peuple prospère sous ton règne. Mais ne me demande ni ma famille, ni ma patrie. Il ne faut pas que je m'installe pour pleurer et me plaindre dans la maison d'autrui. Tu me croirais pris de vin.

— Étranger, je suis accablée sous les malheurs que la divinité m'envoie. Je ne me soucie ni des hôtes, ni des suppliants, ni des hérauts, servants publics. Mon cœur fond du regret d'Ulysse. Eux ne songent qu'au mariage. Moi, je file mes ruses. D'abord un dieu m'avait inspiré de dresser mon grand métier pour tisser fin une étoffe immense et je leur disais : « Jeunes gens, mes prétendants, puisque Ulysse est mort, malgré votre hâte, attendez que j'aie fini ce voile, pour que le fil ne soit pas gâché. C'est un linceul pour le héros Laerte, quand la mort de ténèbres viendra le prendre. Je ne veux pas qu'on me critique parmi les Achéennes, si un homme si riche gisait sans manteau funéraire. » Ainsi disais-je et tout le jour je tissais cette pièce immense ; la nuit je détissais à la lueur des torches. Pendant trois ans j'ai trompé les Achéens. La quatrième année j'ai été trahie par les servantes, ces chiennes sans pudeur. J'ai dû le terminer, malgré moi, par force. Maintenant je ne peux plus échapper au mariage, je ne trouve plus d'autre ruse. Mon fils s'irrite de voir manger ses biens, il en est conscient ; c'est un homme maintenant, capable de gérer sa maison. Mais toi, dis-moi ta famille, d'où es-tu ?

Ulysse plein de ruse lui répondit :

— Épouse respectée d'Ulysse fils de Laerte, je m'en vais te le dire. Au milieu de la mer noire comme le vin, il y a la terre de Crète, belle et fertile, entourée d'eau ; sa population est innombrable ; elle possède quatre-vingt-dix villes. Moi, je suis le frère du roi Idoménée, on m'appelle Aithon, je suis le cadet. C'est dans notre maison que j'ai vu Ulysse et lui ai donné l'hospitalité, comme il faisait voile vers Troie. Cela faisait dix ou onze aurores qu'Idoménée était parti. C'est donc moi qui le reçus. Je l'ai entouré de prévenances et, pour les équipages de sa flotte, j'ai mis le peuple à contribution et leur ai fourni à suffisance farine, vin couleur de feu et bœufs à sacrifier. Les braves Achéens restèrent chez nous pendant douze jours, à cause du vent du nord. Le vent tomba le treizième jour et ils repartirent.

Ulysse rendait ainsi le faux semblable au véridique. Elle, à l'écouter, ses larmes coulaient, son visage fondait comme neige au printemps. Elle pleurait son mari alors qu'il était là. Ulysse avait pitié en son cœur des larmes de sa femme. Mais ses yeux semblaient de corne ou de fer et ses paupières ne tremblaient pas.

Mais Pénélope reprit :

— Je voudrais une preuve de ce que tu dis, de cette hospitalité que tu lui as offerte. Décris-moi les vêtements qu'il portait, son allure et son équipage.

Ulysse plein de ruse répliqua :

— Femme, après tant de temps, répondre n'est pas aisé ; cela fait la vingtième année, depuis son arrivée et son départ de ma patrie. Le brave Ulysse portait un épais manteau pourpre, doublé. Une agrafe d'or le fermait, avec des boucles. Une scène y était représentée : un chien tenait entre ses pattes un petit daim et le regardait se débattre ; tout le monde admirait ce bijou. J'ai vu la tunique qui luisait sur son corps, comme une peau d'oignon sec, douce, brillante comme un soleil. Bien des femmes le regardaient. Je lui ai donné une épée de bronze, un manteau pourpre doublé et une tunique bordée de franges. Un héraut, un peu plus âgé que lui le suivait, épaules courbées, peau brune, cheveux crépus ; son nom était Eurybate.

Pénélope alors lui répondit :

— Mon hôte, j'avais déjà pitié de toi ; désormais tu auras ma sympathie et mon respect. C'est moi qui lui ai donné les vêtements dont tu parles, tirés de notre trésor ; j'y avais fixé l'agrafe brillante, comme bijou. Mais mon mari, je ne l'accueillerai plus à son retour dans sa patrie.

— Femme respectée d'Ulysse fils de Laerte, n'enlaidis plus maintenant ta jolie peau, ne te ronge plus le cœur à pleurer ton mari. Car je vais te parler franchement, sans réticence. J'ai déjà entendu parler du retour d'Ulysse, tout près d'ici, dans le riche pays des Thesprotes ; il est vivant, il rapporte des objets de prix, en nombre. Son bateau était prêt, mais il était parti pour Dodone. Il est sain et sauf et il va revenir, il est très près. Ulysse rentrera, j'en fais le serment par Zeus Très Haut, Très Noble, avant la fin de cette lune.

La très sage Pénélope lui fit cette réponse :

— Si seulement, mon hôte, ta parole s'accomplissait ! Tu aurais mon amitié et bien des présents. Mais il n'y a pas dans cette maison de maître capable de recevoir ou reconduire un hôte respecté. Allons, lavez-le, servantes, dressez-lui un lit, avec des couvertures, des étoffes luisantes pour qu'il ait bien chaud jusqu'à l'aurore au trône d'or.

— Femme respectée d'Ulysse fils de Laerte, répondit Ulysse, je déteste couvertures et étoffes luisantes, depuis que je me suis éloigné des montagnes enneigées de Crète sur mon bateau aux longues rames. Je vais me coucher comme bien souvent quand mes nuits étaient sans sommeil. Et aucune femme ne touchera mes pieds, à moins que tu n'aies une vieille femme, fidèle ; celle-là, je veux bien qu'elle me touche les pieds.

— J'ai avec moi, repartit Pénélope, une vieille femme à l'esprit ferme. C'est elle qui a élevé et nourri ce pauvre héros ; elle l'avait pris dans ses bras dès sa naissance. Debout, viens donc, très sage Euryclée. Lave ce contemporain de ton maître, on dirait les pieds et les mains d'Ulysse. Les mortels vieillissent, sous les coups du malheur.

La vieille femme, se cachant le visage dans les mains, pleurait à chaudes larmes, en songeant à son maître :

— Hélas, mon pauvre enfant, Ulysse, je ne peux rien pour t'aider, Zeus t'a pris en haine parmi tous les humains, malgré ta piété ! Pourtant personne n'a jamais brûlé autant de cuisses grasses ni d'hécatombes de choix pour Zeus Ami de la foudre. Tu ne lui demandais qu'une vieillesse heureuse et tu es le seul auquel il ait refusé le jour du retour. Peut-être que comme toi, des femmes l'insultent, comme le font ces chiennes ici. C'est pour éviter leurs injures que tu refuses qu'elles te baignent. Moi, je vais te laver les pieds, à la fois pour Pénélope et pour toi : bien des hôtes malheureux sont venus ici, mais je n'en ai pas encore vu qui ressemble autant que toi à Ulysse, pour l'allure, la voix, les pieds.

Elle dit et alla prendre une bassine étincelante, qu'elle utilisait pour baigner les pieds ; elle y versa une bonne quantité d'eau froide et y mêla de l'eau chaude. Ulysse était assis loin du feu ; d'un coup il se tourna vers le coin d'ombre, de crainte qu'en le touchant, elle ne reconnût sa cicatrice et ne révélât toute l'affaire.

Or, la vieille s'approcha pour le laver et d'un coup elle reconnut la cicatrice de la blessure qu'un sanglier jadis lui avait infligée d'un coup de ses blanches défenses, comme il chassait sur le Parnasse avec son grand-père Autolycos et ses fils. Autolycos était renommé parmi les humains pour son habileté à dérober et à prêter de faux serments. C'est lui qui avait donné son nom à Ulysse. Une fois devenu grand, le héros était venu au Parnasse, recevoir de son grand-père des présents magnifiques.

Dès que l'Aurore aux doigts de rose, fraîche éclose, apparaît, ils partent pour la chasse, avec des chiens. Ils gravissent les pentes boisées de la montagne puis arrivent aux crêtes éventées. Le soleil à peine sorti des profondeurs paisibles de l'Océan éclairait le paysage ; les rabatteurs atteignent un ravin, les chiens prennent la trace. Dans un épais fourré un énorme sanglier avait son gîte, à l'abri du vent, de la pluie et du soleil. La bête entend le bruit de la venue des chiens et des chasseurs. Elle déboule du fourré et charge, la crinière hérissée, les yeux flamboyants. Ulysse bondit le premier, visant, le long épieu au poing. Le sanglier frappe au-dessus du genou, la défense enlève un morceau de chair, en oblique, mais l'os n'est pas atteint. Ulysse l'atteint au défaut de l'épaule droite, la pointe brillante s'enfonce tout droit. Le sanglier couine et s'écroule dans la poussière.

On banda avec science la jambe d'Ulysse et on arrêta le sang noir par une incantation. Mais il en garda la cicatrice.

Or, la vieille, tâtant du plat de la main, reconnut la cicatrice au palper et laissa échapper le pied ; la jambe retomba dans la bassine qui se renversa et l'eau éclaboussa le sol. La joie et la souffrance s'emparèrent de son esprit ; ses yeux se remplirent de larmes ; elle dit d'une voix entrecoupée :

— C'est toi, Ulysse mon petit. Je ne t'avais pas reconnu avant de t'avoir touché.

Ulysse la prit à la gorge de la main droite, de l'autre il l'attira à lui et lui dit sans être entendu de Pénélope :

— Bonne mère, veux-tu ma mort, toi qui m'as nourri de ton sein ? Puisqu'un dieu t'a permis de comprendre, tais-toi, que personne d'autre ne l'apprenne dans cette maison. Sinon, si un dieu m'accorde d'anéantir les prétendants, et même si tu es ma nourrice, je ne t'épargnerai pas.

— Mon petit, s'écria Euryclée, quelle parole a quitté l'enclos de tes dents ? Mon cœur est une pierre dure, c'est du fer.

La vieille alors sortit de la salle pour aller chercher de l'eau pour le bain ; toute l'eau s'était répandue par terre. Elle le baigna et le frotta d'huile d'olive. Ulysse tira son siège près du feu pour se chauffer. Ses loques recouvraient sa cicatrice.

Pénélope, la très sage, commença à lui parler :

— Mon hôte, je vais encore te dire une chose, conseille-moi sur un rêve que j'ai eu. J'ai vingt oies qui, au sortir de la mare, picorent le blé et moi j'ai plaisir à les voir ; mais voici que surgit de la montagne un grand aigle au bec recourbé qui leur brise le cou à toutes. Elles sont en tas dans la cour et lui prend son envol vers le ciel. Moi je pleure et je crie dans mon rêve, au milieu d'Achéennes aux belles boucles. Alors revenant se percher sur un angle du toit, l'aigle prononça ces paroles avec la voix d'un homme : « Ce n'est pas rêve, mais réalité qui va s'accomplir. Les oies sont les prétendants, moi je suis l'aigle, ton mari, qui va déchaîner sur eux une mort honteuse ! » Moi, le sommeil doux comme le miel m'avait abandonnée. J'allai jeter un coup d'œil sur mes oies et je les vis picorant le blé près de la mangeoire, tout comme avant.

Ulysse plein de ruse lui répondit:

— Femme, on ne peut interpréter ce rêve autrement, c'est Ulysse lui-même qui te révèle l'avenir. Voici la mort pour les prétendants, ils n'échapperont pas aux déesses de la mort.

La très sage Pénélope repartit:

— Bien sûr, étranger, les rêves sont impuissants et confus et ils ne se réalisent pas tous. Ils nous viennent par deux portes, l'une d'ivoire, l'autre de corne. Les premiers sont mensonges divers, les seconds sont d'harmonieux accords, nés pour dire le vrai. Mais voici que vient cette aurore de malheur où je vais quitter la maison d'Ulysse. Selon la tradition je dois maintenant leur proposer le concours des haches. Ce sont celles qu'Ulysse dressait à la file comme des étais de navire, douze en tout. Se plaçant assez loin il les traversait de sa flèche. Si l'un des prétendants parvient à armer l'arc et à traverser les douze haches, je le suivrai.

Ulysse plein de ruse lui répondit:

— Femme respectée d'Ulysse fils de Laerte, n'hésite plus maintenant à leur proposer ce concours. Ulysse plein de ruse reviendra ici avant même qu'ils aient pu armer l'arc poli, tendre la corde et traverser les fers.

— Il n'est pas possible, dit alors Pénélope, de rester toujours sans dormir ; moi je vais regagner l'étage et mon lit de sanglots. Toi, dors dans la maison.

Elle s'en alla coucher, pleurant son mari jusqu'à ce qu'Athéna, la déesse aux yeux d'aigue-marine, eût versé sur ses paupières la douceur du sommeil.

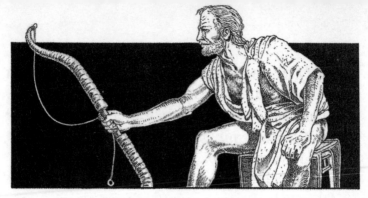

Le dernier festin des prétendants

Le divin Ulysse se coucha dans le vestibule, étendant une peau de vache non tannée, et, par-dessus, beaucoup de toisons de moutons. Eurynomé, l'intendante, vint le couvrir d'une couverture. Ulysse restait éveillé, méditant la mort des prétendants. Athéna alors vint le trouver, sous la forme d'une femme ; Ulysse l'interrogea :

— Comment vais-je châtier ces prétendants sans honneur, si je suis seul ? Ils sont si nombreux ici !

Athéna la déesse aux yeux d'aigue-marine lui répondit :

— Malheureux, on a confiance dans un compagnon de rien, un mortel aux idées courtes ; moi, je suis une déesse et je monte la garde près de toi. Allons, dors.

Ce disant, elle versa le sommeil sur ses paupières et

regagna l'Olympe. Mais Pénélope s'éveilla et s'assit dans son lit pour pleurer en implorant Artémis :

— Artémis, déesse reine, fille de Zeus, prends ma vie en me décochant une flèche dans la poitrine. Cette nuit j'ai encore rêvé qu'il dormait à côté de moi, tel qu'il était quand il partit avec l'armée, et mon cœur était en fête parce que je croyais que ce n'était pas un rêve, mais la réalité vraie.

Ainsi parlait-elle quand survint l'Aurore au trône d'or. Le divin Ulysse avait entendu les pleurs de sa femme. Il crut qu'elle l'avait déjà reconnu et allait venir près de lui. Rassemblant couverture et toisons dans lesquelles il avait dormi, il les empila sur un siège, emporta la peau de vache dehors et pria, demandant à Zeus un signe favorable. Zeus Maître de sagesse l'entendit, aussitôt il tonna du haut du lumineux Olympe. Une femme alors qui moulait le grain tout à côté poussa une exclamation. Sur les douze ouvrières qui peinaient à moudre farine d'orge et de blé, toutes dormaient, tâche faite, sauf une qui ne s'était pas encore arrêtée, car elle était la moins forte. Elle arrêta sa meule et prononça cette parole, présage pour son maître :

— Zeus Père, qui règnes sur les dieux et les humains, tu as tonné depuis le ciel étoilé, sans nuages. Exauce mon vœu : que ce soit aujourd'hui le dernier et l'ultime repas que les prétendants prendront dans la maison d'Ulysse. Je suis brisée de fatigue à leur moudre cette farine !

Ulysse se réjouit du coup de tonnerre et de ce cri qui lui annonçaient le châtiment des coupables.

Les servantes se rassemblèrent dans la maison, allumant le feu infatigable dans le foyer. Télémaque sortit de son lit et apparut, avec son allure de dieu, bien vêtu, son épée aiguë au baudrier d'épaule, de belles sandales nouées à ses pieds luisants. Il prit sa forte lance, coiffée de bronze pointu, et dit à Euryclée :

— Bonne mère, comment a-t-on honoré notre hôte dans la maison ? A-t-il eu un lit, ou ne s'est-on pas occupé de lui ? Tu sais comment est ma mère. Elle est bien avisée, mais tantôt elle se toque du premier venu, une canaille, tantôt elle rejette sans égards un homme de bien.

Euryclée le rassura et Télémaque partit rejoindre les Achéens à l'agora. Pendant ce temps Euryclée dirigeait les servantes :

— Allez vite, balayez la maison avec soin, placez les tapis de pourpre sur les fauteuils ; vous autres, essuyez les tables avec les éponges, nettoyez les cratères et les coupes à deux anses ; vous, allez chercher de l'eau à la

Source Noire. Les prétendants vont venir tôt matin, c'est fête publique.

Les prétendants arrivèrent sur ces mots. En gens de métier ils fendirent les bûches. Les femmes revinrent de la fontaine, puis le porcher apparut, menant trois porcs gras. Tandis qu'il conversait avec Ulysse, voici que vint Mélanthios, le chevrier, conduisant ses chèvres, les meilleures du troupeau. Il les attacha sous le porche sonore et apostropha Ulysse :

— Étranger, tu es encore là à ennuyer les gens en mendiant dans la maison. Quand partiras-tu ? Tu veux donc goûter d'abord de mes poings ? Tu mendies à l'excès ; il y a d'autres banquets chez les Achéens !

Ulysse ne répondit rien. Survint alors Philaitios, le chef bouvier, conduisant une génisse et des chèvres grasses. Les passeurs les avaient transportées depuis le continent, comme c'est leur tâche quand on vient les trouver. S'approchant d'Ulysse il le salua de la main droite et lui dit ces mots, comme des flèches ailées :

— Salut, père, étranger ; puisse revenir le temps de ton opulence ! Tu me parais être accablé de maux. Zeus Père, il n'est pas de dieu plus funeste que toi. Sans pitié pour les humains, tes enfants, tu les lances dans le malheur et la douleur. À te voir, mes yeux s'emplissent de larmes, car je pense qu'Ulysse aussi est revêtu de loques semblables aux tiennes et va à l'aventure dans le monde, si même il vit encore et voit la lumière du soleil. Moi, je ne serais pas resté ici si je n'avais l'espoir de son retour.

— Bouvier, répondit Ulysse, tu m'as l'air d'un homme de bien et de bon sens. Je vais te dire, et j'en fais le grand serment par Zeus : pendant que tu resteras ici, Ulysse reviendra et tu le verras de tes yeux, si tu veux, massacrer les prétendants qui jouent aux maîtres ici.

— Puisse le fils de Cronos accomplir cette parole, répondit le bouvier. Tu verrais alors ce que valent et ma force et le poids de mes bras.

Les prétendants sacrifièrent les grands moutons et les chèvres grasses, les porcs gras et la vache du troupeau. Ils firent griller les abats et les partagèrent, mélangèrent le vin dans les cratères. Le porcher répartit les coupes et Philaitios distribua le pain. Télémaque avait installé Ulysse près du seuil de pierre, avec un siège sans ornements et une petite table, une part d'abats à côté de lui et du vin dans sa coupe :

— Reste assis là à boire avec les hommes. Moi, je te garderai des injures et des coups des prétendants. Cette maison n'est pas un lieu public, c'est celle d'Ulysse. Vous, prétendants, du calme. Qu'il n'y ait ni querelle ni dispute.

— Encaissons la tirade, Achéens, dit Antinoos, même si elle est raide. Ce sont des menaces à présent ! Zeus fils de Cronos ne l'a pas permis, sinon nous l'aurions fait taire, malgré son éloquence.

On fit griller les morceaux de choix puis on les retira du feu. On partagea les parts pour un merveilleux festin et l'on plaça devant Ulysse la même portion que devant les autres, sur l'ordre de Télémaque.

Parmi les prétendants, il y avait un nommé Ctésippos, qui habitait à Samé, un impie, confiant dans ses biens immenses. Il s'adressa aux prétendants arrogants :

— Écoutez-moi, nobles prétendants. L'étranger a reçu sa part, comme nous. Il ne serait ni correct ni juste de léser les hôtes de Télémaque, quand ils viennent chez lui. Allons, moi aussi je veux lui faire mon présent d'hospitalité.

Il dit et lança de sa forte main un pied de bœuf qu'il avait pris dans une corbeille. Ulysse l'esquiva en penchant la tête et sourit en son cœur, sardoniquement. Le pied frappa le mur bien bâti.

Télémaque s'écria :

— Ctésippos, tu as de la chance de ne pas avoir atteint mon hôte. Car moi, je t'aurais atteint en plein de ma javeline pointue et ton père aurait préparé tes funérailles et non ton mariage !

Tous se taisaient. Agélaos fils de Damastor leur dit :

— Amis, ne bousculez ni l'hôte ni les serviteurs d'Ulysse. Mais je voudrais donner un conseil amical à Télémaque et à sa mère. Tant que votre cœur espérait voir revenir Ulysse, le bien avisé, dans sa maison, il n'y avait pas à redire si elle faisait attendre les prétendants. Mais maintenant il est clair qu'il ne reviendra plus. Allons, va t'asseoir près de ta mère et dis-lui tout cela.

Télémaque, en garçon avisé, lui dit en face :

— Agélaos, par Zeus et par les souffrances de mon père qui est mort ou qui erre à l'aventure loin d'Ithaque, je ne retarde pas ce mariage. Qu'elle épouse qui elle veut ! Mais j'ai scrupule à la contraindre à quitter la maison malgré elle.

Pallas Athéna alors déclencha un rire inextinguible chez les prétendants et frappa leur esprit. Ils riaient et le contrôle de leurs mâchoires leur échappait. Leurs yeux se remplissaient de larmes, leur cœur songeait aux sanglots. Les viandes paraissaient souillées de sang.

Alors le devin Théoclymène, un nouvel hôte de Télémaque, intervint :

— Pauvres malheureux ! Quel malheur vous frappe ? La nuit recouvre vos têtes, vos visages, vos genoux ; vos pleurs vous brûlent ; les murs et la charpente dégoulinent de sang ; le vestibule est plein de spectres, pleine aussi la cour ; ils s'en vont vers les ténèbres des Enfers ; le soleil s'éteint dans le ciel, l'obscurité de la mort recouvre tout.

Les prétendants éclatèrent de rire ; Eurymaque s'écria :

— Cet étranger perd la raison. Allons, les jeunes, conduisez-le dehors, puisque ici tout ressemble à la nuit.

— Eurymaque, répondit Théoclymène, pas besoin de me fournir de guides, j'ai mes yeux, mes deux oreilles, mes deux pieds et un cœur solide dans ma poitrine. Je vais les utiliser pour partir, car je vois le malheur qui s'approche et personne n'y échappera parmi les prétendants.

Et il quitta la maison.

Ces jeunes présomptueux, se regardant l'un l'autre, provoquaient Télémaque :

— Télémaque, personne n'a moins de chance que toi avec les hôtes ! Le premier, vagabond affamé de pain et de vin, n'est qu'un bon à rien ! Et voilà l'autre qui se lève et qui joue au devin ! Crois-moi, jetons ces étrangers dans un bateau bien garni de rames et expédions-les en Sicile, pour en retirer un gros prix.

Les prétendants parlaient, mais Télémaque ne s'en souciait pas.

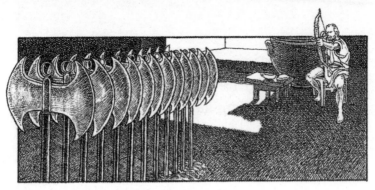

CHANT VINGT ET UN

LE DÉFI DES HACHES ET DE L'ARC

C'est alors qu'Athéna, la déesse aux yeux d'aigue-marine, incita la fille d'Icare, la très sage Pénélope, à proposer aux prétendants le jeu de l'arc et des haches. Elle descendit de sa chambre par le haut escalier, tenant la belle clé de bronze à poignée d'ivoire. Elle se dirigea tout au fond de la maison, vers la resserre, avec ses suivantes ; c'est là que se trouvaient les trésors du roi, bronze, or et fer bien travaillé, là aussi l'arc à double courbure et le carquois plein de flèches porteuses de sanglots.

Quand elle fut arrivée au seuil de chêne qu'un menuisier avait poli savamment en y ajustant des montants et des portes luisantes, alors elle dénoua la courroie du crochet, introduisit la clé. Les verrous jouèrent ; comme mugit un taureau en pâture dans un

257

pré, aussi fort mugissaient les belles portes et vite elles s'ouvrirent. La reine, alors, monta sur une marche et, se hissant sur la pointe des pieds, elle décrocha du clou l'arc, dans son étui brillant. Elle s'assit sur place et, tenant l'arc sur ses genoux, elle pleurait et sanglotait.

Elle rejoignit enfin les prétendants. Debout près d'un pilier du toit, encadrée par deux sages suivantes, elle ramena sur ses joues son voile brillant et dit :

— Écoutez-moi, vaillants prétendants qui avez attaqué cette maison, pour y boire et manger sans cesse ni trêve, parce que le maître est absent depuis longtemps. Votre prétexte, c'était de me faire la cour. Eh bien ! prétendants, voici l'épreuve, voici le grand arc du divin Ulysse. Celui qui parviendra à tendre l'arc et à décocher sa flèche à travers les douze haches, celui-là je le suivrai, quittant cette belle maison, celle de mon premier mariage, celle dont je me souviendrai toujours, même en rêve.

Elle dit et ordonne à Eumée, le brave porcher, de déposer auprès des prétendants l'arc et les fers de hache. Eumée pleurait et le bouvier pleurait aussi, de revoir l'arc du maître. Mais Antinoos les interpella :

— Paysans stupides, jolie paire de peureux ! Pourquoi pleurer et bouleverser cette femme ? Sa peine d'avoir perdu son époux est déjà bien assez grande. Restez et mangez en silence ou allez pleurer dehors en nous laissant l'arc. Ce sera une épreuve difficile pour les prétendants, car j'ai vu de mes yeux ce que valait Ulysse et je m'en souviens encore, j'étais pourtant petit enfant.

C'est ce qu'il disait mais, dans son cœur, il espérait bien tendre la corde et traverser les haches. En fait c'est lui que toucherait bientôt la première flèche partie des mains d'Ulysse.

Télémaque alors leur adressa la parole :

— Cessez de gagner du temps, ne différez pas plus longtemps l'épreuve de l'arc, voyons un peu ! Moi-même, j'essaierais bien cet arc : au cas où je l'armerais et traverserais les haches, ma mère n'aurait pas à quitter la maison, pour mon chagrin, pour suivre un autre homme et moi, je serais l'égal de mon père !

Sur ces mots, il rejeta son manteau de pourpre et détacha son épée de son fourreau d'épaule. Il disposa les haches droites à la file, en tassant la terre autour d'elles. Les Achéens furent surpris de le voir les disposer selon les règles ; pourtant, il ne l'avait jamais vu faire auparavant. Il alla se placer sur le seuil de la grand-salle et essaya l'arc. Trois fois il l'ébranla, mais trois fois la force lui manqua. Il l'aurait armé, en essayant une quatrième fois, mais Ulysse l'arrêta d'un signe. Alors Télémaque s'écria :

— Hélas, est-il dit que je serai un homme faible ou suis-je encore trop jeune pour me fier à mon bras et repousser un homme qui m'insulterait le premier ? Allons, vous qui me dépassez en force, essayez l'arc, poursuivons l'épreuve !

Sur ces mots, il déposa l'arc à terre, l'appuyant au panneau de la porte et plaçant la flèche contre le crochet. Alors le fils d'Eupeithès, Antinoos, leur dit :

— Debout, tous à la file, par la droite, commençons par le côté où l'on nous verse à boire !

Ainsi parla Antinoos et tous furent d'accord.

Léiodès se dressa le premier ; c'était leur devin, c'était lui qui était toujours assis tout au fond, près du cratère ; il était le seul à critiquer l'arrogance des prétendants. Il se plaça près du seuil et essaya d'armer l'arc. Il fatigua ses mains douces et délicates, mais n'y parvint pas. Il dit alors aux prétendants :

— Compagnons, je n'y arriverai pas, qu'un autre le prenne ! Mais nombreux sont les chefs auxquels cet arc va prendre et le souffle et la vie. Bien sûr en ce moment chacun espère encore épouser Pénélope. Mais quand il aura essayé l'arc et compris, qu'il courtise alors une autre femme parmi les Achéennes aux beaux voiles et lui offre des cadeaux. Quant à Pénélope, qu'elle épouse celui qui lui offrira le plus et sera envoyé par le destin !

Sur ce, il retourna s'asseoir. Antinoos l'interpella alors avec violence :

— Léiodès, quelle parole s'est échappée de la barrière de tes dents ? Tu me mets en colère quand tu prédis que cet arc prendra à de nombreux chefs et le souffle et la vie, simplement parce que tu ne peux pas le tendre ! Mais nous, les prétendants, nous allons y arriver !

Antinoos donne cet ordre à Mélanthios le chevrier :

— Vite, allume du feu dans la grand-salle, Mélanthios, place à côté un grand tabouret recouvert de peaux de moutons ; rapporte une grosse boule de suif pour que nous chauffions et graissions la corde, afin de réussir à tendre l'arc.

Mais malgré cela, les jeunes prétendants ne parvenaient pas à tendre l'arc, ils en étaient même bien loin. Bientôt il ne resta plus qu'Antinoos et Eurymaque, les chefs des prétendants ; c'étaient de beaucoup les plus forts. Eurymaque eut beau tourner et retourner et retourner l'arc en le chauffant à la lumière du feu, il ne put l'armer. Furieux il dit alors :

— Honte sur moi et sur vous tous ! Ce n'est pas tant

ce mariage que je regrette, même si j'en ai chagrin. Il y a bien d'autres Achéennes, même à Ithaque. Mais sommes-nous donc tellement inférieurs à Ulysse, incapables de tendre son arc ? Beau sujet de moquerie pour les générations à venir !

Ulysse alors prit la parole :

— Écoutez-moi, prétendants de cette reine très glorieuse, donnez-moi l'arc bien poli pour que j'essaie, moi aussi, mes mains et ma force, pour que je voie si la vigueur de mes muscles est encore telle qu'avant ou si ma vie errante et le manque d'exercice l'ont anéantie.

Antinoos alors le prit à partie :

— Tu déraisonnes, misérable étranger, reste à boire sagement et ne cherche pas à rivaliser avec les jeunes gens !

La très sage Pénélope intervint alors :

— Antinoos, il n'est pas correct ni régulier que l'on vexe les hôtes de Télémaque, quels qu'ils soient.

Eurymaque, fils de Polybe, répondit :

— Fille d'Icare, très sage Pénélope, nous aurions honte d'entendre hommes et femmes, jusqu'au dernier des Achéens, aller répétant : ces faiblards courtisent la femme d'un héros sans reproche et ils ne sont même pas capables de tendre son arc poli, tandis qu'un vagabond passe à l'aventure, tend facilement l'arc et traverse les haches.

Mais Pénélope insista :

— Pour moi je vous le dis et c'est ce qui sera : si Apollon donne à l'étranger la gloire de tendre l'arc, je le vêtirai d'un manteau et d'une tunique, je lui donnerai un épieu pointu contre les hommes et les chiens, une épée à double tranchant, des chaussures, et je le ferai reconduire où son cœur le désirera.

Télémaque lui fit cette réponse avisée :

— Mère, cet arc, personne parmi les Achéens n'en est plus maître que moi, pour le donner ou le refuser à qui je veux. Retourne à ta chambre veiller à tes tâches, tissage et filage, et surveiller tes servantes. L'arc est l'affaire des hommes et d'abord la mienne. C'est moi qui suis le maître dans cette maison.

Tout émue, Pénélope regagna sa chambre, gardant dans son cœur les sages paroles de son fils. Elle rejoignit l'étage avec ses suivantes, pleurant encore Ulysse, son mari, jusqu'à ce qu'Athéna, la déesse aux yeux d'aigue-marine, vînt verser sur ses paupières un doux sommeil.

Eumée alla porter l'arc à Ulysse, puis il s'en fut dire à Euryclée, la nourrice :

— Télémaque t'ordonne, très sage Euryclée, de fermer les portes aux vantaux pleins dans la grand-salle ; si on entend des cris ou des chocs à l'intérieur, que personne n'y aille voir. Restez tranquillement à travailler.

Quant au bouvier, il était sorti en silence de la maison et avait fermé le portail de l'enceinte de la cour ; il y avait sous le porche un câble de marine en papyrus, il en lia les vantaux et revint s'asseoir à sa place.

Ulysse maniait l'arc, le retournant en tous sens, l'examinant sous tous les angles, craignant que les vers n'aient mangé la corne durant son absence. Chacun des prétendants disait à son voisin :

— Voilà un expert, un amateur d'arc. À voir comment ce vagabond le tourne et retourne dans ses mains, ou bien il en a un pareil en son logis, ou bien il a envie de s'en faire un.

Or, tandis que parlaient les prétendants, Ulysse plein de ruse avait équilibré le grand arc et tout examiné. Comme un aède, expert en cithare et en chant, tend aisément une corde sur une cheville neuve, ajustant aux deux bouts la corde de boyau bien tordu, c'est ainsi que, sans effort, Ulysse arma le grand arc ; de la main droite il pinça la corde qui chanta juste, comme un cri d'hirondelle.

Une grande terreur s'empara des prétendants, ils blêmirent ; Zeus déclencha un violent coup de tonnerre et Ulysse se réjouit de ce signe. Il prit la flèche rapide, déjà posée sur la table, les autres étaient restées dans le carquois et les Achéens allaient pouvoir bientôt en goûter. La posant contre la poignée de l'arc, il tira à lui l'empennage et la corde, de sa place, assis sur son siège. Visant droit il décocha son trait, sans manquer le premier anneau des haches. Sans dévier, la flèche, lourde tête de bronze, passa à travers toutes les haches.

Ulysse s'exclama :

— Télémaque, cet étranger fait-il honte à ta demeure ? Je n'ai pas manqué le but, je n'ai pas fatigué à armer l'arc ! Mais c'est maintenant l'instant de préparer un souper d'un autre genre pour les prétendants.

Ce disant, Ulysse fit signe à son fils qui mit à l'épaule son épée aiguë et saisit sa lance armée de bronze sombre.

CHANT VINGT-DEUX

LA FIN SANGLANTE DES PRÉTENDANTS

Alors, Ulysse plein de ruse quitta ses haillons ; il bondit sur le seuil avec l'arc et le carquois, vida ses flèches devant lui, à ses pieds, et s'exclama :

— Je vais maintenant viser un autre but, que personne jamais n'a atteint, et voir si Apollon m'en donne la gloire.

Il dirigea alors une flèche amère contre Antinoos. Ce dernier allait lever sa coupe en or, à deux anses, la tenant à deux mains, pour y boire son vin. Il ne pensait vraiment pas à la mort. Qui aurait pu imaginer qu'en plein banquet, un homme seul, même très fort, lancerait contre lui la mort noire ? La flèche d'Ulysse tout droit l'atteignit à la gorge ; la pointe traversa le cou délicat. Antinoos bascula en arrière, la coupe lui échappa des mains, un épais jet de sang jaillit de ses narines, son pied renversa la table ; pêle-mêle, les plats, le pain, les viandes grillées glissèrent à terre.

Quand ils virent s'abattre Antinoos, les prétendants firent grand bruit dans la demeure, insultant Ulysse :

— Étranger, c'est un crime de tirer sur les gens ! Tu n'auras plus l'occasion de concourir encore ! Le gouffre de la mort est ouvert devant toi. Tu as tué un homme qui était le premier de la jeunesse d'Ithaque. Les vautours te mangeront sur place.

Avec un regard de mépris, Ulysse plein de ruse s'écria :

— Chiens, vous vous disiez que je ne reviendrais plus du pays des Troyens ! Vous pillez ma maison, vous courtisez ma femme, alors que je vis encore, sans craindre les dieux maîtres du vaste ciel ni qu'un vengeur plus tard se lève parmi les hommes. Voici pour vous la mort !

Les prétendants blêmirent, seul Eurymaque répondit :

— Si vraiment c'est toi, Ulysse d'Ithaque, qui es revenu, tu dis vrai en parlant des crimes des Achéens, aussi bien chez toi que dans tes champs. Mais il est là par terre, celui qui est la cause de tout, Antinoos. Ce n'était pas vraiment le mariage qu'il désirait, il avait d'autres buts : régner sur le bon peuple d'Ithaque, après avoir tué ton fils par embuscade. Mais il est mort, pardonne à ton peuple. Nous te rembourserons, en bronze et en or, ce que nous avons bu et mangé chez toi et nous y ajouterons une indemnité supplémentaire de vingt bœufs chacun.

Avec un regard de mépris, Ulysse plein de ruse répondit :

— Eurymaque, même si vous m'apportiez les biens de vos pères et les vôtres et d'autres encore, mes mains ne cesseraient pas le massacre.

Eurymaque se tourna vers les prétendants :

— Compagnons, cet homme ne s'arrêtera pas avant de nous avoir tous abattus avec ses flèches. Allons, au combat, tirez vos épées, prenez les tables comme boucliers. Fonçons-lui dessus tous ensemble pour le repousser de la porte et du seuil, puis courons en ville appeler au secours.

Il tira son épée de bronze à double tranchant et, avec un cri épouvantable, bondit vers le seuil, mais dans le même temps Ulysse lui décocha une flèche et l'atteignit sous le sein ; la flèche rapide se planta dans le foie.

Sa main laissa échapper son épée, il renversa la table et son front frappa le sol, l'obscurité couvrit ses yeux.

Télémaque, de son côté, planta sa lance dans le dos d'Amphinomos mais n'eut pas le temps de la retirer.

Il proposa à son père de courir à la resserre pour en rapporter des armes.

— Cours, lui dit Ulysse, tant qu'il m'est possible de les repousser à coups de flèches, je crains qu'ils ne me délogent du seuil, pendant que je suis seul.

Télémaque obéit ; il alla vers la pièce où étaient conservées les belles armes. Il prit quatre boucliers, huit lances, et des casques solides en bronze, avec cimier de cheval. Lui-même et les deux serviteurs s'en revêtirent. Ulysse abattait les prétendants les uns après les autres. Mais bientôt il n'eut plus de flèche. Il déposa le grand arc contre un pilier de la salle, couvrit ses épaules d'un bouclier à quatre couches de cuir et plaça sur sa tête un bon casque sur lequel ondulait une aigrette en crins de cheval.

Mais Mélanthios, le chevrier, proposa alors aux prétendants de grimper sur la muraille, il courut à la resserre et en rapporta douze lances, douze casques couverts de bronze, douze boucliers. Ulysse sentit ses jambes se dérober sous lui, quand il les vit ainsi équipés.

— C'est ma faute, dit Télémaque, j'ai laissé ouvertes les portes de la resserre.

Mélanthios voulut aller rechercher d'autres armes. Mais le porcher et le bouvier le guettaient et, comme il ressortait avec dans une main un casque, dans l'autre un énorme bouclier tout craquelé, aux courroies décousues — c'était celui que portait Laerte, dans sa jeunesse —, ils se jetèrent sur lui, le tirèrent par les cheveux ; le maintenant à terre ils le ligotèrent, le hissèrent en haut d'une colonne et refermèrent la porte.

Athéna alors, sous la forme de Mentor, le vieux compagnon d'Ulysse, vint à la rescousse, malgré les menaces des prétendants. Elle interpella Ulysse avec indignation :

— N'as-tu plus de fougue ni cette vaillance qui te possédaient quand tu combattais sans trêve contre les Troyens, neuf ans durant, pour Hélène aux bras blancs. Tu as tué bien des soldats dans le combat terrible, et c'est grâce à tes conseils que la cité de Priam aux larges rues fut prise. Comment peux-tu, maintenant que tu as retrouvé ta demeure et tes biens, gémir devant les prétendants, en oubliant d'être brave ?

Puis, se changeant en hirondelle, elle alla se percher dans la charpente noircie par la fumée.

Agélaos, l'un des prétendants, donna l'ordre de jeter les lances tour à tour. Les six premiers tirèrent, mais Athéna fit dévier leurs lances, tandis qu'Ulysse et ses compagnons atteignaient chacun leur homme et couraient pour récupérer leurs armes. Nouveau tir des prétendants. À nouveau Athéna intervint et dispersa leurs traits ; une lance alla se ficher dans l'embrasure de la porte, l'autre dans le panneau de bois, une autre encore en plein dans le mur.

La riposte des compagnons d'Ulysse couche à terre encore quatre hommes. Les prétendants sont pris de panique, ils fuient comme des bœufs tourmentés par les taons.

Ulysse et ses amis les pourchassent ; on dirait des vautours au bec acéré et aux serres griffues qui fondent du haut des montagnes sur des oiseaux agiles ; les oiseaux essaient d'échapper aux nuages et de se réfugier dans la plaine, mais les vautours les attrapent et les massacrent.

Léiodès le devin se jeta aux genoux d'Ulysse :

— Ulysse, je te supplie d'avoir pitié et de m'épargner. Je n'ai pas participé aux méfaits des autres. Au contraire, je voulais les arrêter, mais ils ne m'écoutaient pas. Moi, je n'étais rien d'autre que leur devin ; n'y a-t-il pas de récompense quand on a bien agi ?

Avec un regard de mépris Ulysse plein de ruse lui répondit :

— Tu étais leur devin ? Alors tu as souvent dû prier pour m'interdire la douceur du retour, pour que ma femme te suive et te donne des enfants. Non, tu n'échapperas pas à la mort !

Ramassant une épée, il la plongea dans le cou de Léiodès, qui, la tête dans la poussière, essayait encore de parler. L'aède Phémios, lui, cherchait à éviter la mort sombre ; il n'avait chanté pour les prétendants que sous la contrainte. Il tenait la cithare bien serrée dans ses bras et hésitait. Il se décida à poser l'instrument entre un siège clouté d'argent et le grand cratère. D'un bond il fut aux pieds d'Ulysse et lui dit :

— Ulysse, je te supplie d'avoir pitié et de m'épargner. Tu auras du remords si tu m'égorges, moi l'aède qui chante pour les dieux et les hommes. Personne ne m'a appris mes poèmes, c'est un dieu qui inspire à mon esprit des chants de toutes sortes ; je saurai composer un hymne pour toi comme pour un dieu.

Télémaque alors intervint :

— Arrête, ne tue pas un innocent ! Sauvons aussi Médon le héraut qui toujours s'est occupé de moi quand j'étais petit enfant.

Médon l'entendit ; en homme de bon sens, il s'était caché sous un siège, enveloppé de la peau d'un bœuf fraîchement écorché. Il en sort et se jette aux genoux de Télémaque :

— Ami, me voici ! Parle à ton père, arrête-le. Il est si en colère contre les prétendants !

Ulysse sourit et lui dit :

— Courage, c'est Télémaque qui t'a tiré d'affaire !

Puis Ulysse chercha partout dans sa maison, pour voir si quelqu'un ne s'était pas caché pour éviter la mort. Mais il ne vit que des corps gisant dans le sang et la poussière, couchés comme des poissons que des pêcheurs ont tirés de la mer grise jusqu'à un creux du rivage, dans les mailles innombrables d'un filet. Ils sont en tas sur le sable, la chaleur du soleil leur a pris la vie. C'est ainsi que les prétendants étaient couchés en tas, les uns sur les autres.

Alors Télémaque alla chercher Euryclée. La vieille le suivit sans un mot et ouvrit les portes de la maison bien confortable ; Télémaque la guidait. Ils trouvè-rent Ulysse au milieu des corps des morts, souillé de sang et de poussière comme un lion qui revient après avoir mangé un bœuf dans son parc. Son poitrail et sa mâchoire sont couverts de sang, spectacle horrible. Devant les corps et le sang la vieille voulut s'exclamer. Mais Ulysse la retint :

— Réjouis-toi en silence, vieille, mais ne crie pas. C'est une impiété de lancer une prière au milieu des morts. Dis-moi plutôt quelles servantes ont trahi et lesquelles sont sans faute.

— Mon petit, répondit Euryclée, je vais te dire la

vérité. Il y a cinquante femmes dans la maison. Seules douze ont trahi.

— Fais-les venir, dit Ulysse. Qu'on emporte les cadavres. Que l'on nettoie les fauteuils travaillés et les tables avec de l'eau et des éponges.

On lui obéit ; Télémaque, le bouvier et le porcher raclaient les dalles à la pelle. Quand on eut bien rangé la salle, on emmena les servantes hors de la salle solide dans la cour et Télémaque les pendit à un câble de marine, mort atroce. Puis on conduisit Mélanthios lui aussi dans la cour et on le sacrifia.

— Apporte du soufre, vieille, pour chasser le mal, et du feu pour que je soufre la salle. Puis va demander à Pénélope de venir ici avec ses suivantes.

— Bien sûr mon petit, dit Euryclée, mais habille-toi du manteau, de la tunique, quitte les loques qui couvrent tes larges épaules. Ce n'est pas convenable.

— Tout d'abord du feu, dit Ulysse.

Euryclée obéit, apporta soufre et feu, et Ulysse soufra salle, maison et cour. Elle alla appeler les femmes dans toute la maison. Toutes faisaient fête à Ulysse, embrassant sa tête, ses épaules et ses mains. Lui, le doux désir des sanglots le saisissait, son cœur les reconnaissait toutes.

ULYSSE ET PÉNÉLOPE

Euryclée monta à l'étage, exultante, pour dire à la Maîtresse que son mari était dans la maison ; ses pieds volaient. Elle lui dit :

— Réveille-toi, Pénélope, mon petit, pour voir de tes propres yeux ce que tu espères chaque jour depuis tant d'années. Ulysse est revenu, il a tué les prétendants qui pillaient sa maison et ses biens, qui brutalisaient son fils.

— Bonne mère, répondit Pénélope, les dieux t'ont rendue folle ! Pourquoi me réveiller du doux sommeil qui couvrait mes paupières. Je n'ai jamais si bien dormi depuis qu'Ulysse est parti pour voir Ilios de malheur.

— Je ne me moque pas de toi, mon enfant, dit Euryclée. Ulysse est bien revenu, c'est l'étranger que tous

275

outrageaient dans la maison. Télémaque le savait depuis longtemps, mais il a gardé le secret.

La joie et les larmes envahirent Pénélope ; elle sauta du lit, prenant la vieille dans ses bras :

— Dis-moi la vérité, comment a-t-il pu abattre son bras sur ces prétendants insolents, tout seul ? Ils étaient toujours si nombreux dans la maison !

— Je n'ai rien vu, rien su, répondit Euryclée. J'ai juste entendu les gémissements des mourants ; nous, nous étions tapies au fond des chambres aux murs épais, portes fermées, effrayées. Puis Télémaque est venu me chercher et j'ai trouvé Ulysse debout au milieu des cadavres. Il m'a envoyée te chercher. Suis-moi pour que votre cœur à tous deux aborde au bonheur, après tant de malheurs. Maintenant ce grand espoir se réalise ; il est là, vivant, à son foyer ; il vous a retrouvés, toi et votre fils, à la maison.

La très sage Pénélope répondit :

— Bonne mère, ne te réjouis pas trop vite, tu sais combien je serais heureuse de le revoir à la maison. Mais rien n'est vrai de ce que tu dis ; c'est l'un des Immortels qui a tué les nobles prétendants, indigné par leur démesure et leurs crimes.

— Mon petit, dit Euryclée, quelle parole a franchi la barrière de tes dents ? Ton mari est ici, dans la maison, mais ton cœur est toujours défiant. Je vais t'en donner une preuve sûre : cette blessure que jadis lui a infligée la défense d'un sanglier. Je l'ai reconnue en le lavant mais il m'avait interdit de t'en parler.

La reine descendit alors, pour voir son fils. Son cœur hésitait entre interroger de loin ce mari ou se précipiter pour lui embrasser la tête et les mains. Elle passa le seuil de pierre. En face d'elle, Ulysse était assis, dans la clarté du feu, contre le mur. Les yeux baissés, il attendait les paroles de sa femme. Mais elle demeurait assise en silence. La stupeur avait saisi son cœur. Tantôt, elle le regardait attentivement en face, tantôt elle ne le reconnaissait pas, à cause de ses loques.

Télémaque l'interpella :

— Mère, mauvaise mère, tu as le cœur cruel ! Pourquoi ne pas t'asseoir près de lui pour l'interroger ? Quelle autre femme oserait repousser ainsi son mari, revenu après vingt ans de malheurs ? Ton cœur est plus dur qu'une pierre !

— Mon petit, répondit Pénélope, si c'est vraiment Ulysse qui rentre à la maison, alors assurément nous nous reconnaîtrons l'un l'autre, c'est le mieux. Il y a entre nous des signes cachés, connus de nous seuls.

L'endurant Ulysse sourit et dit à son fils :

— Télémaque, ta mère veut m'éprouver. Pour l'instant je suis sale, je porte des haillons, c'est pourquoi elle ne me reconnaît pas. Nous, réfléchissons : nous avons abattu le rempart de la cité, l'élite des jeunes gens d'Ithaque. Comment échapper à notre tour à la vengeance ? D'abord baignons-nous et changeons de tunique. Que le divin aède avec sa cithare au chant clair donne le signal de la danse joyeuse pour que parmi les passants ou les voisins l'on se dise, à l'entendre : « C'est le mariage ! » Je ne veux pas que la rumeur du massacre se répande dans la ville avant que nous ayons gagné notre domaine à la campagne. Là nous réfléchirons à l'aide que l'Olympien nous garantira.

Les hommes se lavèrent, changèrent de tunique, les femmes se parèrent ; le divin aède prit sa cithare creuse et fit lever en leur cœur le désir de la douce mélodie et de la danse parfaite. La grande maison résonna des pas des danseurs et des femmes au beau corsage.

Dans le voisinage on disait :

— Quelqu'un épouse notre reine si courtisée, la malheureuse, elle n'a pas eu le cœur d'attendre le retour de son mari.

Ils ignoraient ce qui s'était passé.

L'intendante Eurynomé baigna Ulysse et le frotta d'huile d'olive. Elle le couvrit d'un voile parfait et d'une tunique. Athéna répandit sur sa tête la beauté : une taille plus haute, des boucles noires aux reflets bleus d'hyacinthe. Comme lorsqu'un artisan incruste l'argent dans l'or, un artisan habile instruit en toutes techniques par Pallas Athéna et Héphaïstos, créateur d'un bijou merveilleux, ainsi Athéna répandait la grâce sur sa tête et ses épaules. Alors le corps semblable à celui des Immortels, il revint s'asseoir sur son fauteuil en face de sa femme :

— Malheureuse, les dieux de l'Olympe t'ont mis un cœur intraitable. Allons, bonne mère, étends-moi un lit pour que j'aille dormir ailleurs. Elle a vraiment un cœur de fer.

— Fou, répondit Pénélope, je te reconnais bien tel que tu étais quand tu as quitté Ithaque sur ton bateau aux longues rames. Allons, déploie le lit chevillé, Euryclée, hors de la chambre aux murs solides qu'il a bâtie lui-même, place dedans le couchage, toisons, couverture, étoffes luisantes.

Elle voulait mettre son mari à l'épreuve ; mais Ulysse se mit en colère et s'écria :

— Femme, qui a déplacé mon lit ? Ce serait impossible de le déplacer, même pour un homme de l'art, à moins d'être aidé par un dieu. Car notre grand signe de reconnaissance, c'est ce lit travaillé. Je l'avais fabriqué tout seul ; à l'intérieur de l'enceinte poussait un olivier au feuillage léger, un arbre vigoureux, luxuriant, épais comme un pilier. Autour de lui j'ai construit la chambre, j'y ai fixé des portes bien jointoyées, puis j'ai scié le fût à la racine et je l'ai poli à la râpe de bronze. En le prenant comme socle, j'ai poli le lit, j'y ai tendu des courroies de bœuf d'un rouge vif. Je ne sais pas si le lit est toujours en place, femme, ou si quelque homme l'a mis ailleurs, en sciant le tronc de l'olivier.

Pénélope sentit défaillir ses genoux et son cœur, car elle avait reconnu les preuves énoncées par Ulysse. En pleurant elle se précipita sur lui, lui mit les bras autour du cou, lui embrassa la tête et lui dit :

— Ne te mets pas en colère, Ulysse. Tu as toujours été le plus avisé des hommes. Sans cesse mon cœur était pris de la crainte qu'un homme ne vînt m'abuser par des discours. Mais toi seul pouvais décrire ainsi notre couche, car aucun autre homme ne l'a jamais vue.

Alors le désir de sanglots envahit le cœur d'Ulysse et il pleura en tenant son épouse toute charmante, son épouse fidèle. L'Aurore aux doigts de rose allait apparaître comme ils pleuraient encore, mais Athéna la déesse aux yeux d'aigue-marine eut une autre idée ; elle arrêta la nuit qui s'allongeait vers l'horizon, elle retint l'Aurore au trône d'or près de l'Océan et elle lui interdit de mettre sous le joug ses chevaux aux sabots rapides qui portent la lumière aux hommes.

Ulysse plein de ruse dit alors à sa femme :

— Femme, nous ne sommes pas au bout de nos peines : j'ai encore à affronter une épreuve, démesurée, difficile. C'est l'âme de Tirésias qui me l'a prédite. Je dois aller de ville en ville avec dans les bras une rame équilibrée jusqu'à ce que j'arrive chez des gens qui ignorent la mer, le sel, les bateaux. Quand un passant me croisera et me demandera quelle est, sur ma brillante épaule, cette pelle à vanner, alors je dois ficher ma rame en terre, sacrifier à Poséidon Souverain un agneau, un taureau et un verrat adulte, puis, revenu chez moi célébrer pour les Immortels de saintes hécatombes, la mort me viendra de la mer, une douce mort qui m'emportera après une vieillesse opulente.

Tandis qu'ils parlaient, Eurynomé et la nourrice couvraient le lit d'une couche moelleuse à la lumière des torches. Ensuite Eurynomé, servante de l'amour, les conduisit vers le lit, une torche à la main. Et eux, en plein bonheur, ils retrouvèrent l'habitude ancienne de leur lit.

Quand Pallas Athéna la déesse aux yeux d'aigue-marine estima qu'Ulysse avait eu son content du lit de son épouse et de sommeil, elle fit surgir de l'Océan l'Aurore fraîche éclose, pour porter la lumière aux hommes. Ulysse se leva de sa couche moelleuse et dit à son épouse :

— Femme, nous voici de nouveau réunis tous les deux, et j'ai à m'occuper de mes biens, de mes troupeaux. Mais je vais aller au domaine riche en vergers voir mon noble père, il a tant de chagrin pour moi.

Sur ces mots il couvrit ses épaules de sa bonne cuirasse, réveilla Télémaque, le bouvier et le porcher, et leur ordonna de s'équiper en guerre. Ils obéirent, endossèrent leur armure de bronze ; on ouvrit les portes et les quatre hommes sortirent. Ulysse marchait devant. Athéna, vite, leur fit quitter la cité en les cachant dans l'ombre.

ET LA PAIX RÈGNE ENFIN À ITHAQUE

Ils descendent de la ville et atteignent le domaine mis en valeur par Laerte. Le héros l'avait réalisé à force de peine. Il avait là sa maison, entourée de tous côtés par les réfectoires et dortoirs des ouvriers contraints à travailler sa terre. Une vieille femme venue de Sicile s'occupait de lui ; il demeurait à la campagne, loin de la cité, avec Dolios et ses fils.

Ulysse dit à ses serviteurs et à son fils :

— Allez directement à la maison bien bâtie, sacrifiez le meilleur porc pour le repas. Moi, je vais aller éprouver mon père, pour voir s'il me reconnaît après une aussi longue absence.

Il leur confia son armure et s'approcha du verger chargé de fruits ; il pénétra dans le grand jardin et n'y trouva ni Dolios ni ses fils, ni les serviteurs : ils étaient loin, à ramasser des pierres pour le mur du verger. Il ne rencontra dans le verger bien cultivé que son père qui binait autour d'un arbre. Il portait une tunique sale, rapiécée, autour de ses jambes des guêtres de cuir de bœuf, rapiécées elles aussi, le protégeaient des écorchures ; aux mains, des gants contre les ronces, sur sa tête un bonnet de peau de chèvre.

Quand Ulysse le vit ainsi accablé par la vieillesse, il en eut grand chagrin. Il s'arrêta près d'un poirier vigoureux et hésita : devait-il embrasser son père, le serrer dans ses bras et tout lui raconter ? Il lui parut meilleur de l'éprouver d'abord par des paroles de moquerie :

— Vieillard, tu t'y entends en travaux de jardinage ! Tout est soigné, arbres, figuiers, vigne, oliviers, poiriers, potager. Mais toi, sans vouloir te vexer, tu n'es guère soigné. Tu n'as pourtant pas l'air d'un esclave, mais d'un noble, d'un ancien dont le souci ne devrait plus être que de se baigner, manger et se coucher dans du moelleux. Dis-moi aussi si vraiment je suis en Ithaque. Jadis un hôte m'est venu. Il prétendait être d'Ithaque, être fils de Laerte, petit-fils d'Arkésios ; quand il partit, je lui fis des cadeaux de choix : sept talents d'or ciselé, un cratère d'argent parsemé de fleurs, douze manteaux simples, autant de tuniques et quatre ouvrières expertes en tissage.

Son père lui répondit en versant des larmes :

— Étranger, tu as atteint le pays dont tu parles, mais ce sont des brutes arrogantes qui en sont désormais les maîtres. Si ton hôte vivait encore, il t'aurait comblé de présents, comme c'est la règle. Mais dis-moi tout, franchement. En quelle année as-tu accueilli ton hôte malheureux, mon fils ? Lui, loin de sa famille et de sa patrie, les poissons l'ont mangé dans la mer, ou ce sont les fauves et les oiseaux, sur terre. Ni sa mère ni son père n'ont pu l'ensevelir, ni la très sage Pénélope. Mais toi, qui es-tu, quelle est ta cité, quels sont tes parents, où est le navire rapide d'où tu débarquas ?

Ulysse plein de ruse lui répondit :

— Je m'en vais tout te dire avec franchise. Je suis d'Alybas, je m'appelle Épérite. Je reviens de Sicile mais un dieu m'a détourné jusqu'ici malgré moi. Ulysse, cela fait quatre ans qu'il est parti de ma maison, avec l'heureux augure d'oiseaux volant sur sa droite.

À ces mots, un noir nuage de douleur enveloppa Laerte. Prenant de la poussière il la versait sur sa tête grise, sanglotant sans fin. Le cœur manqua à Ulysse quand il vit son père ainsi et les larmes lui vinrent aux yeux. Il se précipita, l'embrassa et lui dit :

— C'est moi, Ulysse, celui que tu réclames, revenu au bout de vingt ans dans ma patrie ! Assez de pleurs et de larmes, car je me suis vengé en tuant les prétendants dans ma maison.

— Si tu es vraiment Ulysse, mon fils, dit Laerte, donne-moi un signe clair, pour que je te croie.

— Regarde cette cicatrice, répondit Ulysse, que j'ai reçue de la blanche défense d'un sanglier sur le Parnasse. Encore, je vais te dire les arbres que tu m'as donnés dans ce verger bien cultivé, quand j'étais tout petit et que tu me disais leur nom : tu m'as donné treize poiriers, dix pommiers, quarante figuiers. Tu m'avais promis cinquante rangs de vigne, à vendange décalée.

À ces mots Laerte sentit défaillir ses genoux et son cœur en reconnaissant la vérité de ces signes. Il mit ses bras autour de son fils, perdant le souffle. Mais il se reprit :

— J'ai une crainte terrible : les gens d'Ithaque ne vont-ils pas marcher contre nous ? Ils vont envoyer des messagers dans toutes les cités des îles !

— Courage, répondit Ulysse, entrons d'abord dans la maison, j'y ai envoyé Télémaque, le bouvier et le porcher pour préparer le repas.

Quand Laerte rentra dans sa demeure, la vieille servante sicilienne le lava et le frotta d'huile d'olive ; elle l'habilla d'un beau manteau et Athéna rendit la vigueur au corps du vieux chef. Son fils fut étonné de le voir ainsi, semblable aux dieux. Laerte s'exclame alors :

— Zeus Père, Athéna, Apollon, pourquoi n'ai-je pas la force que j'avais quand j'ai pris la citadelle de Néricos, sur le continent ? C'est moi qui, couvrant mes épaules de l'armure, aurais anéanti les prétendants !

Comme on allait se mettre à table, Dolios entra avec ses fils. Il reconnut Ulysse avec joie et ses fils firent fête au Maître puis s'assirent sur les sièges bien polis.

Tandis qu'ils prenaient leur repas, la rumeur de la triste fin des prétendants avait couru en ville. La foule accourue de partout se groupait avec des gémissements devant la maison d'Ulysse. On emporta les cadavres et chacun les ensevelit. Les morts des autres cités furent placés sur des bateaux de pêche pour être remportés chez eux. Puis, le cœur affligé, la foule se réunit sur l'agora. Quand tout le monde fut là, Eupeithès se leva, une peine atroce dans l'âme, car c'était son fils Antinoos qu'Ulysse avait abattu en premier ; il parla en pleurant :

— Amis, cet homme a commis un grand crime envers les Achéens ; il a emmené avec lui l'élite du pays et il a perdu ses bateaux creux, perdu ses gens. Il revient maintenant et c'est pour tuer l'élite de nos jeunes gens. Allons, marchons avant qu'il ne se réfugie à Pylos ou en Élide ! Quelle honte pour nous si nous ne vengeons pas le meurtre de nos enfants ou de nos frères.

Ses paroles étaient mêlées de larmes et la pitié saisit tous les Achéens. Mais survinrent Médon et le divin aède, sortant de la maison d'Ulysse où ils avaient dormi.

Médon, le héraut avisé, prit la parole :

— Écoutez-moi, gens d'Ithaque, Ulysse a fait tout cela avec l'accord des dieux. J'ai vu moi-même un Immortel à côté d'Ulysse. Il ressemblait à Mentor, encourageait Ulysse et semait le trouble chez les prétendants.

Tous alors verdirent de terreur. Un autre orateur se leva, Halithersès, fils de Mastor, capable d'embrasser le passé et l'avenir, plein d'intelligence :

— C'est votre lâcheté, amis, qui a provoqué ces malheurs. Vous ne nous écoutiez pas, Mentor et moi ; vous n'avez pas mis un terme aux excès de vos enfants, dévorant le bien d'un héros, outrageant sa femme. Vous pensiez qu'il ne reviendrait pas. Maintenant, croyez-moi, ne marchons pas au-devant de la mort !

Avec un grand tumulte, plus de la moitié de l'assemblée se leva et se dispersa. Mais les autres, convaincus par Eupeithès, couraient aux armes et se formaient en bataille devant le bourg. Athéna alors interrogea Zeus :

— Fils de Cronos, notre Père Tout-Puissant, quel est ton dessein ? Veux-tu encore la guerre mauvaise et la mêlée brutale ou instaurer la paix entre eux ?

— Mon enfant, répondit Zeus, agis à ta guise. Le divin Ulysse a châtié les prétendants. Qu'il continue à régner. Faisons oublier le meurtre des fils et des frères ; qu'ils soient amis comme avant et que règnent la paix et l'abondance !

Ces paroles redoublèrent l'ardeur d'Athéna. Elle bondit depuis les cimes de l'Olympe.

Un fils de Dolios était allé se poster en sentinelle. Quand il vit la troupe des gens d'Ithaque, il donna l'alarme. Tous alors revêtent leurs armes, Ulysse et ses trois compagnons, les six fils de Dolios, Laerte et Dolios aussi, malgré leurs cheveux gris, combattants par nécessité. Ulysse encouragea Télémaque, à la grande joie de Laerte.

Alors Athéna la déesse aux yeux d'aigue-marine intervient :

— Fils d'Arkésios, prie la Vierge aux yeux d'aigue-marine et Zeus son père, puis brandis ta longue javeline et lance-la !

Elle insuffle alors une grande vigueur à Laerte. Le vieillard vise Eupeithès et l'atteint au casque qui cède sous le choc. Il s'écroule et ses armes résonnent autour de lui. Ulysse et son fils glorieux se jettent alors sur le premier rang, avec leurs épées et leurs piques à deux pointes. Ils les auraient massacrés si Athéna n'avait poussé un grand cri et tout arrêté :

— Arrêtez cette guerre, gens d'Ithaque, elle est horrible ; séparez-vous sans autre sang !

Ainsi parle Athéna, tous verdissent de crainte. Les armes leur échappent des mains, elles jonchent le sol. Ulysse pousse un cri épouvantable et bondit sur eux comme un aigle dans le ciel. Le Cronide alors lance sa foudre fumante aux pieds d'Athéna :

— Arrête, Ulysse, s'écrie la déesse, finis cette guerre qui n'épargne personne, de peur que Zeus à la grande voix ne se mette en colère !

Ainsi parle Athéna. Ulysse obéit, le cœur en fête. Et la déesse conclut entre les deux camps un pacte garanti par des serments, elle, Pallas Athéna, fille de Zeus Maître de l'égide.

ANNEXES

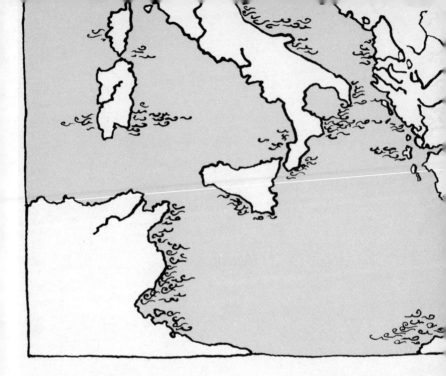

Les navigations d'Ulysse

Le voyage de Télémaque

Le poète de L'Odyssée ne nomme pas les mers traversées par Ulysse et Télémaque, même si toute la Méditerranée est connue des Achéens du XIIIe siècle avant J.-C. Le nom même de Méditerranée n'apparaîtra d'ailleurs que bien plus tard, avec la domination romaine.

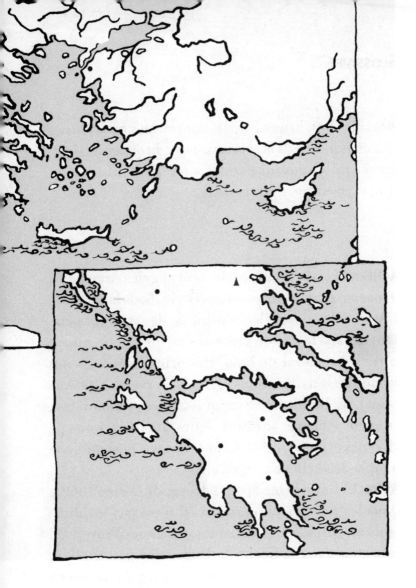

GLOSSAIRE

Dieux ou héros, lieux ou objets : de nombreux mots utilisés pour traduire ce texte avec justesse méritent quelques éclaircissements. Ce glossaire tente de les offrir aussi brièvement et précisément que possible.

ACHÉENS Les Achéens, également appelés Argiens ou Danaens, sont les ancêtres des Grecs. Sous la conduite d'Agamemnon et de leurs princes, ils assiègent pendant dix ans la cité de Troie et s'en emparent grâce à la ruse du cheval de bois. Historiquement, ils ont occupé la Grèce et les îles voisines du xvie au xie siècle avant J.-C. Ils ont même conquis la Crète. Aujourd'hui, on peut encore admirer leurs fortifications de Mycènes et de Tirynthe. « Panachéens » désigne l'ensemble des Achéens.

ACHILLE Fils de Pélée et de la déesse de la mer Thétis. Dans les poèmes homériques, il n'est pas invulnérable et, après avoir tué Hector, héros des Troyens, il sera abattu par la flèche de Paris, aidé par Apollon.

AÈDE Chanteur et compositeur. Il égaye les festins en

jouant de la cithare, soit pour rythmer la danse, soit pour accompagner ses chants. Il puise dans le vaste répertoire des poèmes existants ou compose des chants originaux. On l'écoute en silence et le poète de *L'Odyssée* met en valeur sa dignité.

AGAMEMNON Fils d'Atrée et frère de Ménélas. Les deux rois sont souvent appelés « Atrides ». Il a épousé Clytemnestre, sœur d'Hélène, et a eu trois enfants, Iphigénie, Électre et Oreste. Il est roi de Mycènes et c'est le plus puissant de tous les princes achéens. C'est lui qui commande l'expédition contre Troie. À son retour à Mycènes, il est tué par Égisthe et Clytemnestre.

AGORA Place du marché. C'est un espace dégagé dans la cité, où les habitants peuvent se rencontrer et commercer. Ils s'y réunissent aussi pour écouter une information importante et décider de la conduite à tenir.

AIGUIÈRE Vase permettant de verser de l'eau sur les mains des convives, avant le repas.

AJAX LE GRAND Fils de Télamon. C'est le plus vaillant des Achéens après Achille. Mais après la mort de celui-ci, les Achéens décident de donner ses armes à Ulysse dont l'intelligence est plus efficace que la force d'Ajax. Ajax se suicidera de dépit.

AJAX LE PETIT Fils d'Oïlée. Il viole Cassandre dans le temple d'Athéna, et la déesse se venge en détruisant son bateau lors du voyage de retour.

AMBROISIE *voir* **NECTAR**.

AMPHITRITE Une des divinités de la mer.

ANTILOQUE Fils de Nestor. C'est le plus jeune des Achéens combattant devant Troie. Il est tué pendant le siège.

APHRODITE Déesse de l'amour. C'est elle qui pousse Hélène à suivre Paris, fils de Priam, jusqu'à Troie.

APOLLON Fils de Zeus et de Léto, frère d'Artémis. C'est un dieu archer, protecteur des troupeaux. Il est capable de déchaîner et d'apaiser les épidémies. Ses flèches provoquent une mort subite et sans douleur pour les hommes.

ARGOS Capitale du royaume de Diomède, à l'est du Péloponnèse. Par extension, l'Argolide désigne tout le Péloponnèse, et tous les Achéens peuvent être appelés Argiens.

ARTÉMIS Fille de Zeus et de Léto, sœur d'Apollon. C'est la déesse des travaux féminins, porteuse du fuseau. C'est aussi la déesse de la chasse, conduisant les Nymphes à travers montagnes et forêts. Elle tire à l'arc comme son frère et elle est responsable de la mort subite pour les femmes.

ATHÉNA (PALLAS) Fille de Zeus, Athéna est sortie tout armée de la tête de son père. Restée vierge, elle n'obéit à aucun époux. C'est d'abord une déesse de la technique guerrière et elle a vaincu Arès, dieu de la guerre, en combat singulier. Mais elle protège aussi les techniciens, charpentiers, constructeurs de bateaux, spécialistes du tissage... Déesse de l'intelligence et de la ruse, elle aide Ulysse, le plus astucieux des Achéens. Pallas est le nom d'un géant qu'elle a vaincu et dont la peau lui sert de cuirasse.

ATLAS Titan chassé de l'Olympe par Zeus. Il porte le poids du monde sur ses épaules. Héraclès l'a remplacé, pour que le Titan aille cueillir les pommes d'or du jardin des Hespérides. Ensuite, Héraclès s'est arrangé pour rendre son fardeau à Atlas.

CALYPSO Divinité secondaire dont le nom évoque l'idée de « cacher ». Elle garde Ulysse chez elle pendant sept ans.

CASSANDRE Fille de Priam. Elle est violée par Ajax le Petit dans le temple d'Athéna, lors de la prise de Troie. Choisie par Agamemnon comme captive, elle l'accompagne à Mycènes où elle est égorgée par Clytemnestre en même temps que le roi.

CHEVAL DE BOIS Désespérant de s'emparer de Troie de vive force, les Achéens, sur une idée d'Ulysse, imaginent le stratagème du « cheval de bois ». Ils font construire par Épéios un cheval creux où l'élite des héros se cache. La flotte achéenne quitte ensuite la côte de Troade et va se poster derrière l'île de Ténédos. Les Troyens, tout heureux, s'emparent du cheval et l'installent dans leur ville. Quand vient la nuit, les chefs achéens sortent du cheval, ouvrent les portes de la ville et massacrent les Troyens avec l'aide des Achéens revenus dans la nuit.

CITHARE Appelée aussi lyre. Selon la tradition, Hermès l'avait fabriquée en utilisant une carapace de tortue tendue de cuir comme caisse de résonance. Deux bras y sont ajustés, une traverse les réunit et porte les sept cordes en boyau de mouton.

CLYTEMNESTRE Fille de Tyndare et sœur d'Hélène. Elle épouse Agamemnon. Lorsque le roi est contraint de sacrifier sa fille Iphigénie pour obtenir des vents favorables à l'expédition vers Troie, Clytemnestre promet de se venger. Pendant l'absence d'Agamemnon, elle règne avec Égisthe sur Mycènes. Quand le roi revient, elle aide Égisthe à l'assassiner. Elle sera tuée à son tour par Oreste, son propre fils.

CRATÈRE Grand vase en bronze, en argent ou en terre cuite où l'on mélange le vin, l'eau, le miel. L'échanson y puise à l'aide d'une cruche pour remplir les coupes qu'il porte à chaque convive. Dans les poèmes homériques, on mange assis sur un fauteuil et les plats sont disposés sur une petite table auprès de chacun.

DIOMÈDE Un des plus vaillants parmi les héros de l'expédition contre Troie. Il règne sur Argos.

DODONE Site d'un oracle de Zeus, où les prêtres interprétaient le vent soufflant dans le feuillage des chênes.

DOT Dans le monde homérique, c'est le fiancé qui verse la dot aux parents. Plus la jeune fille a de valeur et de beauté, plus la dot est élevée.

DOULICHION Île voisine d'Ithaque, faisant partie du royaume d'Ulysse. Elle semble être proche du continent, mais il est difficile de l'identifier.

ÉCHANSON (*voir* **CRATÈRE**). Celui qui verse le vin aux convives.

ÉGIDE Grand bouclier en peau de chèvre, bordé de franges d'or. En son milieu est fixée la tête de la Gorgone. Zeus l'agite pour déclencher le tonnerre. Il prête parfois l'égide à Athéna pour semer la terreur dans les batailles.

ÉGISTHE Fils de Tantale et rival d'Agamemnon. Pendant l'absence de celui-ci, il épouse Clytemnestre et règne sur Mycènes. Quand Agamemnon revient, Égisthe le tue avec l'aide de Clytemnestre. Mais le fils d'Agamemnon, Oreste, aidé par sa sœur Électre, revient à Mycènes et tue le couple criminel.

ÉLIDE Contrée située sur la côte ouest du Péloponnèse.

ÉPHYRE Peut-être la ville de Corinthe, située au fond du golfe séparant le continent du Péloponnèse.

ÉTOLIE Région à l'est de la Grèce, au sud de la Thessalie.

EUBÉE Grande île au nord-est de l'Attique. C'est dans l'un de ses ports que les Achéens ont attendu un vent favorable pour gagner la Troade.

GORGONE Monstre féminin dont le regard pétrifiait les humains. Elle est tuée par Bellérophon, mais conserve sa puissance maléfique même aux Enfers.

HADÈS Frère de Zeus et de Poséidon, époux de Perséphone. C'est le dieu des Enfers. Il n'existe pas de paradis pour Homère, et tous les mortels, justes ou coupables, descendent chez Hadès.

HÉCATOMBE Théoriquement, c'est un sacrifice de cent bœufs. En fait, une hécatombe est simplement un sacrifice important. Les bêtes sont choisies pour leur beauté et leur santé ; on dore leurs cornes avant le sacrifice.

HÉLÈNE Fille de Zeus et de Léda, l'épouse de Tyndare. Pour s'approcher de Léda, Zeus avait pris la forme d'un cygne noir. Hélène a pour sœur Clytemnestre et pour frères les jumeaux Castor et Pollux. Elle épouse Ménélas mais elle est séduite par Paris, le fils de Priam, et le suit à Troie. Cet « enlèvement » déclenche la guerre de Troie.

HÉLIOS Dieu du Soleil, propriétaire de troupeaux sacrés dans l'Île à Trois Pointes.

HÉPHAÏSTOS Fils de Zeus et d'Héra. Dieu du feu, il a appris le métier de forgeron et celui d'orfèvre.

HÉRACLÈS Fils de Zeus et d'Alcmène, reine de Thèbes. Il est contraint par Eurysthée, roi de Mycènes, à accomplir des exploits dangereux. Il est même descendu aux Enfers pour s'emparer de Cerbère, le monstre à trois têtes de chien. Il appartient à une époque ancienne par rapport à Ulysse.

HÉRAUT C'est un serviteur privilégié du roi. Il transmet ses proclamations, répète ses messages, règle les assemblées et sert de majordome dans la maison. C'est lui qui accueille les étrangers.

HERMÈS Dieu de la « communication ». Il est fils de Zeus et sert de messager aux Immortels. C'est le dieu de la ruse, du commerce et des voyages. Il protège les marchands sur les routes… mais il peut aussi aider les voleurs à les détrousser !

ICARE Fils de Dédale, Icare s'échappe du labyrinthe en fixant des ailes à ses épaules. Mais Icare s'approche trop du soleil et la cire qui tient ses ailes fond. Il est précipité dans la mer.

IDOMÉNÉE Roi des Crétois. C'est l'un des princes les plus puissants parmi les Achéens qui combattent sous les murs de Troie.

ILIOS Autre nom pour désigner **TROIE**.

JAMBIÈRES Les héros achéens portent un grand bouclier de cuir, un casque, une cuirasse et des jambières de bronze. Ces dernières sont des sortes de guêtres de métal qui protègent les jambes et sont caractéristiques de l'armement achéen.

LACÉDÉMONE *voir* **SPARTE**.

LAERTE Fils d'Arkésios et père d'Ulysse. Il a pris sa « retraite » quand Ulysse a été en âge de régner.

LESBOS Grande île située au sud-ouest des côtes de Troade.

MÉNÉLAS Fils d'Atrée, d'où son nom d'Atride, et frère cadet d'Agamemnon. Il a obtenu la main d'Hélène et fait partie de l'expédition venue assiéger Troie pour reconquérir la reine. Il règne sur Sparte et a pour fille Hermione.

MINOS Ancien roi de Crète. Sa puissance s'était étendue sur toute la mer Égée. Après sa mort, Zeus le nomme juge aux Enfers.

MUSE Déesse de l'inspiration poétique. Avec Apollon, elle souffle aux aèdes leurs chants et leur accorde la gloire. *L'Iliade* et *L'Odyssée* débutent par un appel à la Muse. Au pluriel, le mot désigne les neuf muses, chacune étant spécialisée dans un domaine particulier, chant, danse, poésie…

MYRMIDONS Peuple de Thessalie soumis au roi Pélée, père d'Achille. Après la mort de celui-ci, son fils Néoptolème a conduit les Myrmidons à la victoire.

NAÏADES Divinités secondaires des sources et des eaux vives.

NECTAR ET AMBROISIE Composent la nourriture des Immortels. Le nectar est liquide et l'ambroisie est un aliment solide.

NÉOPTOLÈME Également appelé Pyrrhos. Fils d'Achille, il est élevé dans l'île de Scyros où Ulysse vient le chercher. Il prend Troie et revient dans son pays avec sa captive, Andromaque, veuve du héros troyen Hector.

NESTOR Fils de Nélée, c'est le plus vieux des Achéens qui combattent contre Troie. C'est un roi puissant. Il règne sur Pylos « au milieu des sables » et possède une grande réputation de sagesse.

NYMPHE Divinité de rang inférieur, comme Calypso. Les Nymphes séjournent près des sources, dans les forêts et les montagnes. Elles accompagnent Artémis dans ses chasses.

OLYMPE Montagne située à l'est de la Grèce, en Thessalie. Avec ses 2 917 mètres, c'est le plus haut sommet de Grèce. L'Olympe était considéré par les anciens comme la demeure de Zeus et des dieux, appelés pour cette raison olympiens. Mais on pensait aussi que l'Olympe se situait dans le ciel, au milieu des nuages.

ORESTE Fils d'Agamemnon et de Clytemnestre, il échappe aux meurtriers de son père et revient ensuite pour le venger. Il tue Égisthe et Clytemnestre, sa complice et mère. Dans *L'Odyssée*, cet acte lui vaut un grand prestige. Plus tard, au Ve siècle avant J.-C., les tragédies le représenteront en proie aux remords d'avoir tué sa propre mère.

PATROCLE Écuyer d'Achille. Il est tué par Hector et la vengeance d'Achille est racontée dans *L'Iliade*.

PÉLÉE Père d'Achille et époux de Thétis. Il règne en Phthie, non loin du mont Olympe.

PÉLOPONNÈSE Grande presqu'île qui forme le sud de la Grèce. Elle est appelée « Île de Pélops ». Ce dernier, fils du roi phrygien Tantale, avait triomphé du roi local lors d'une course de chars et avait conquis l'ensemble de la presqu'île.

PÉNÉLOPE Fille d'Icare, épouse d'Ulysse et mère de Télémaque. Les prétendants la courtisent non seulement en raison de sa beauté, mais parce que celui qui l'épousera deviendra roi d'Ithaque.

PHÉMIOS C'est l'aède d'Ulysse. Il partage les repas des prétendants et les égaye de ses chants et du son de sa cithare. Il est fier de rappeler qu'il n'est pas seulement un chanteur mais aussi un poète et qu'il interprète ses propres compositions.

PHÉNICIE Région située à l'emplacement de l'actuel Liban.

PHILOCTÈTE Compagnon d'Héraclès. Il se joint aux Achéens contre Troie, mais il est mordu par un serpent dans l'île de Lemnos. Ses compagnons, repoussés par l'odeur de sa plaie, l'abandonnent. Ulysse reviendra le chercher car Philoctète possède l'arc d'Héraclès indispensable à la prise de Troie.

PORTIQUE Préau couvert devant la maison. On s'y installe pour être à l'ombre ; les jeunes gens et les invités peuvent y coucher.

POSÉIDON Frère de Zeus, d'Hadès et d'Héra. Il est le dieu de toutes les eaux (sources, océan, mers), des chevaux et des tremblements de terre. À cause de cette dernière fonction, il est appelé « Ébranleur du sol ». Père de nombreuses créatures peu recommandables, telles que Polyphème, le Cyclope.

PRÉSAGES Les héros sont très attentifs aux présages,

vols d'oiseaux, coups de tonnerre, rêves prémonitoires… Ils leur permettent de deviner l'avenir ou de connaître l'avis des dieux.

PRIAM Roi des Troyens. C'est le plus puissant des princes d'Asie. Il est considéré par tous, y compris les Achéens, comme un roi juste. Il sera cependant massacré par Néoptolème au moment de la prise de Troie.

PYLOS Capitale du royaume de Nestor. Pylos est située non loin de la côte ouest du Péloponnèse. Les archéologues ont dégagé les restes d'un beau palais que l'on peut attribuer aux rois de Pylos, dont Nestor est le plus illustre.

SAMÉ Île proche d'Ithaque et faisant partie du royaume d'Ulysse. Très probablement l'île actuelle de Céphalonie.

SCHÉRIE Île des Phéaciens. On l'identifie avec la grande île de Corcyre, aujourd'hui Corfou, située au nord d'Ithaque.

SIDON Ville de Phénicie.

SISYPHE Selon certaines mauvaises langues, il serait le vrai père d'Ulysse. Il est considéré comme le plus rusé des mortels. Pour avoir tenté de violer Héra, Zeus l'a condamné à rouler un lourd rocher en haut d'une falaise. Mais la tâche est sans fin car, à peine hissé au sommet, le rocher dévale de nouveau dans la plaine.

Sparte (*ou* **Lacédémone**) Deux noms pour une ville située au centre du Péloponnèse. C'est à Sparte que règnent Ménélas et Hélène.

Tantale Roi de Phrygie, père de Pélops, qui donnera son nom au Péloponnèse. Il a servi aux dieux de la chair humaine lors d'un banquet et il est soumis, aux Enfers, au « supplice de Tantale » qui l'empêche à jamais de pouvoir apaiser sa soif et sa faim.

Ténédos Île située à l'ouest des côtes de Troade.

Thésée Héros athénien de la génération d'Héraclès. Il a tué le Minotaure en Crète puis est descendu aux Enfers avec son ami Pirithoos. Mais Hadès l'a gardé prisonnier et Héraclès a dû le délivrer.

Thesprotes Habitants de la contrée située sur le continent grec, en face des îles du royaume d'Ulysse.

Tirésias Vieillard aveugle, devin renommé. Il vivait à Thèbes et avait prédit à Œdipe et à Créon les malheurs qui allaient s'abattre sur eux.

Travaux splendides Ainsi désigne-t-on le filage et le tissage, travaux réservés aux femmes. Dans le monde homérique, les vêtements sont précieux. Les nobles se parent de tissus magnifiques mais de simples porchers n'ont guère d'habits de rechange.

Troade Pays des Troyens, soumis à l'autorité du roi Priam.

TROIE (*ou* **ILIOS**) Ville légendaire où habitaient le roi Priam et les Troyens. Elle était située près des Dardanelles, sur la côte asiatique. Elle fut prise par les Achéens après un siège de dix ans dont un épisode est raconté dans *L'Iliade*.

ZACYNTHE Île au sud d'Ithaque. Elle fait partie du royaume d'Ulysse.

ZEUS Fils de Cronos, il a détrôné son père. Il est le dieu souverain, père des Immortels et des hommes. Il a épousé Héra, sa sœur. C'est le dieu du climat, capable d'amener aussi bien le beau temps que l'orage. Il règne sur les nuages et déchaîne la foudre. Il porte un bouclier magique, l'égide, et sème la terreur chez les soldats. Il habite l'Olympe, avec la plupart des autres dieux.

À PROPOS D'HOMÈRE

On ne possède guère de renseignements sur le poète de *L'Odyssée*. Dès l'Antiquité, certains imaginaient que ce n'était pas le même poète qui avait composé *L'Iliade* (d'*Ilios*, autre nom de Troie ; 15 000 vers) et *L'Odyssée* (d'*Odysseus*, nom grec d'Ulysse ; 12 000 vers). Si même on peut attribuer à un poète nommé Homère, peut-être né dans l'île de Chios, en Ionie, les deux poèmes épiques, il n'y a pas grand-chose de commun entre les exploits guerriers de *L'Iliade* et les récits d'aventures maritimes de *L'Odyssée*.

Les deux poèmes utilisent la même langue, pleine d'épithètes anciennes et de formules automatiquement répétées qui aident la mémoire du récitant. Dans cette poésie de tradition orale, les vers sont répartis en hexamètres de six mesures, rythmés par les syllabes longues et brèves.

Mais le poète de *L'Odyssée* s'amuse à citer, à pasticher, à déformer vers et passages de *L'Iliade*. Ce jeu montre la distance qu'il prend par rapport à la guerre de Troie. Une autre différence : la composition de *L'Odyssée* représente un effort de création littéraire très élaboré. En effet, l'auditeur est plongé immédiatement au milieu de l'action. Nous sommes à la dixième année des aventures d'Ulysse et le poète nous emmène à Ithaque où le jeune Télémaque doit partir chercher aventure et prestige en questionnant les anciens compagnons de son père. Cinq chants après, Zeus envoie Hermès libérer Ulysse de sa retraite chez Calypso. Ce n'est qu'une fois parvenu chez les Phéaciens qu'Ulysse, utilisant le premier « retour en arrière » de l'histoire de la littérature, détaille pendant quatre chants les neuf années d'errance qui l'ont mené de Troade jusque chez Calypso. À partir du chant treize, le récit devient linéaire et raconte la reconquête du pouvoir par Ulysse, jusqu'à la réconciliation finale. Une telle composition s'accommode mal de la simple technique de la poésie orale.

Sans doute peut-on retrouver dans *L'Odyssée* bien des vestiges d'une tradition antérieure. Les aventures du faux Crétois en Égypte et son engagement comme mercenaire du pharaon rappellent d'authentiques chroniques égyptiennes. Les fastes des palais de Ménélas et d'Alcinoos, tout comme l'habileté merveilleuse des marins phéaciens, font penser aux splendeurs de la civilisation crétoise ; et bien des récits d'Ulysse trouvent leur pendant dans d'autres descentes aux Enfers ou d'autres aventures de naufragés. Le poète est ici l'héritier de traditions multiples, mais il agit en véritable « compositeur », fondant en une création harmonieuse les flux de ses différentes inspirations. Ajoutons que nous savons maintenant qu'à l'époque où a été composé le second poème homérique (vers 725 avant J.-C.), l'écriture alphabétique était connue en Grèce.

Le poète de *L'Odyssée* se montre légitimement fier de son œuvre et, à la différence du poète de *L'Iliade*, il n'hésite pas à mettre en scène les chanteurs, les aèdes, en leur donnant le beau rôle. Les aèdes sont partout, surveillant Clytemnestre, égayant les festins, chantant les poèmes qu'ils composent eux-mêmes. Au reste, le meilleur aède de *L'Odyssée*, c'est encore Ulysse, et le poète s'efface volontiers derrière lui pendant tous les récits chez Alcinoos. Il lui est d'autant plus aisé, ensuite, de faire prononcer par Ulysse un vibrant éloge de la dignité de l'aède. Même Phémios, coupable d'avoir chanté pour les prétendants, est épargné parce qu'il rappelle à Ulysse que l'aède est sacré, et parce qu'il promet au roi de composer pour lui... une Odyssée.

QUELQUES DATES

Les quelques dates qui suivent font toujours l'objet de recherches, d'études, et donc de possibles précisions ou contestations. elles ont néanmoins valeur de points de repère pour le lecteur.

2000 AV. J.-C. Premiers palais crétois.

1600 AV. J.-C. Début de la civilisation achéenne en Grèce.

1400 AV. J.-C. Conquête de la Crète par les Achéens.

1250 AV. J.-C. Prise de Troie par les Achéens.

1200 AV. J.-C. Début de l'effondrement de la civilisation achéenne en Grèce.

1150 AV. J.-C. Destruction de Mycènes.

1100 AV. J.-C. Expansion des Phéniciens dans toute la Méditerranée. Ils développent l'écriture alphabétique.

776 AV. J.-C. Premiers Jeux olympiques en Grèce.

750 À 725 AV. J.-C. Composition de *L'Iliade* et de *L'Odyssée*.

Table des chapitres

dès 10 ans

ÉPOPÉE & LÉGENDE

François Johan

LE CYCLE DES CHEVALIERS DE LA TABLE RONDE
LES ENCHANTEMENTS DE MERLIN
LANCELOT DU LAC
PERCEVAL LE GALLOIS
LA QUÊTE DU GRAAL
LA DESTINÉE DU ROI ARTHUR
illustrés par Nathaële Vogel
couvertures de Sibylle Delacroix

Pierre Dubois

ROBIN DES BOIS
illustré par Bruno Pilorget

Pascal Fauliot

L'ÉPOPÉE DU ROI SINGE
LES FILS DU SOLEIL
illustrés par Daniel Hénon
couvertures de Gianni De Conno
LE RAMAYANA
illustré par Philippe Munch

Homère

L'ILIADE
L'ODYSSÉE
traductions adaptées de Michel Voronoff
illustrés par Brunot Pilorget
couvertures de Gianni De Conno

LES AVENTURES DE SINDBAD LE MARIN
traduction adaptée de René R. Khawam
illustré par Jean-Michel Payet
couverture de Gianni De Conno

Virgile

L'ÉNÉIDE
traduction adaptée d'Annie Dubourdieu
illustré par Bruno Pilorget

Pierre-Marie Beaude

JÉSUS, UNE RENCONTRE EN GALILÉE
illustré par Bruno Pilorget
couverture de Gianni De Conno

Lilyan Kesteloot

SOUNDIATA, L'ENFANT-LION
illustré par Joëlle Jolivet
couverture de Gianni De Conno
CHAKA ZOULOU, FILS DU CIEL
illustré par Émilie Seron
couverture de Gianni De Conno

Carlo Collodi

PINOCCHIO
traduction de Jean-Paul Morel
illustré par Jean-Marc Rochette

Béatrice Bottet

RIFIFI SUR LE MONT OLYMPE
Sélection « 1000 jeunes lecteurs » 1996 UNCBPT
Prix littérature enfantine Martel 1996
Prix de Clermont-Ferrand 1997
Prix du Salon du livre pour enfants
de Valenciennes 1997

FILLE DE LA TEMPÊTE
(la légende d'Is)
illustré par Daniel Maja
couverture de Gianni De Conno

LE ROMAN DE RENART
mise en vers de Pierre Coran
illustré par Pascal Lemaître
couverture de Gianni De Conno

Anne Pouget

LES ÉNIGMES DU VAMPIRE
illustré par Daniel Hénon
couverture de Gianni de Conno

Beatrice Masini

HÉROÏNES DES LÉGENDES GRECQUES
traduction de Dominique Vittoz
illustré par Daniel Hénon
couverture de Gianni De Conno